D1069098

Татьяна
Полякова

Лучшее лекарство от скуки – авантюрные детективы

***Татьяны Поляковой*:**

1. Деньги для киллера
2. Тонкая штучка
3. Я – ваши неприятности
4. Строптивая мишень
5. Как бы не так
6. Чего хочет женщина
7. Сестрички не промах
8. Черта с два
9. Невинные дамские шалости
10. Жестокий мир мужчин
11. Отпетые плутовки
12. Ее маленькая тайна
13. Мой любимый киллер
14. Моя любимая стерва
15. Последнее слово за мной
16. Капкан на спонсора
17. На дело со своим ментом
18. Чумовая дамочка
19. Ставка на слабость
20. Интим не предлагать
21. Овечка в волчьей шкуре
22. Барышня и хулиган
23. У прокурора век недолог
24. Мой друг Тарантино
25. Охотницы за привидениями
26. Чудо в пушистых перьях
27. Любовь очень зла
28. Неопознанный ходячий объект
29. Час пик для новобрачных
30. Все в шоколаде
31. Фитнес для Красной Шапочки
32. Брудершафт с терминатором
33. Миллионерша желает познакомиться
34. Фуршет для одинокой дамы

Татьяна Полякова

Фуршет для одинокой дамы

Москва
ЭКСМО
2002

УДК 882
ББК 84(2Рос-Рус)6-4
П 54

Серийное оформление художника *Н. Кудря*

Серия основана в 2002 году

Полякова Т. В.

П 54 Фуршет для одинокой дамы: Повесть. — М.: Изд-во Эксмо, 2002. — 320 с. (Серия «Авантюрный детектив»).

ISBN 5-699-01535-3

Все самое страшное всегда происходит в темное время суток. Прошлой ночью мне казалось, что ничего ужаснее ее в моей жизни не было и не будет. Но как же я заблуждалась! Вчера со мной хотя бы был Кирилл, и он принимал решения. Теперь он с перерезанным горлом лежит в домике в кемпинге, а я осталась совсем одна. Где-то рядом убийца, охотящийся за мной, а меня уже завтра будет разыскивать милиция по подозрению в убийстве. Куда бежать? Кому довериться? Кругом одни враги... Уберись я из того чертова отеля сразу, как только почуяла неладное, возможно, все бы обошлось. Но нет, мне надо было сунуть нос в чужие дела. Любопытство меня погубит... И вот тут, как трое из ларца, явились три дюжих молодца! Неужели по мою душу?..

УДК 882
ББК 84(2Рос-Рус)6-4

ISBN 5-699-01535-3

Моим друзьям по Геленджику —
Танечке, Симону, Виктору,
Николаю и Саше Тютрюмову

Надпись на карточке гласила: «Администрация отеля приглашает вас на фуршет по случаю открытия сезона. Фуршет состоится на веранде ресторана отеля в 20.00». Я повертела карточку в руках и вернула на стол, где она радовала глаз до того момента. Фуршет не очень-то меня заинтересовал, впрочем, в настоящий момент меня вообще мало что интересовало.

Я прилетела сюда накануне поздно вечером, устроилась в отеле, а теперь пыталась найти причину, по которой мне следовало остаться здесь. В конце концов я посоветовала себе не забивать голову разными мыслями (хотя не так много их и было), а просто получать удовольствие от яркого солнца, моря, пальм и прочей южной экзотики. Правда, и с этим вышла незадача, я имею в виду удовольствие: чувствовала я себя не то чтобы скверно, скорее была расстроена и подавлена, будущее виделось смутно и перспективы не радовали.

Я прошла на балкон и, опершись на перила, огляделась. Вид отсюда открывался прекрасный, и я вновь призвала себя к порядку: «Хватит хандрить, наслаждайся природой», — потом без перехода с тоской подумала: «Надо было лететь в Испанию. Или

Ниццу. Или к черту на кулички», — раздраженно добавила я, потому что стало ясно: вряд ли на нашем симпатичном шарике в настоящий момент найдется место мне по душе. Дело не в месте, а в настроении. А оно у меня ниже точки замерзания. «Хорошо медведю, можно спать полгода, выбрался по весне из берлоги, глядишь, жизнь за это время сама по себе наладилась».

Зависть к медвежьей жизни вызвала усмешку, я покачала головой и сказала громко:

— Давай встряхнись. Сходи на море, на фуршет этот дурацкий, в общем, двигайся.

— Простите, что вы сказали? — поинтересовались рядом, я повернула голову и по соседству на балконе, который отделяли от моего две деревянные перекладины, увидела мужчину лет пятидесяти, — он приветливо улыбался, оглядывая меня с ног до головы, пытаясь делать это незаметно. Навыков у него не было, а у меня отсутствовала потребность в мужском обществе, но, будучи девушкой воспитанной, я вежливо ответила:

— Прекрасный вид, не правда ли?

— Да, вид великолепный, — охотно поддержал он и улыбнулся еще шире, а голос приобрел зазывные интонации. Как видно, моя неземная красота произвела впечатление.

— Всего доброго, — немного невпопад заявила я, отступая к двери, пока дядька не предложил познакомиться.

Вновь оказавшись в номере, я вздохнула, точно избежала опасности, покачала головой в досаде и пробормотала: «Эдак ты одичаешь и начнешь от людей шарахаться», — подошла к зеркалу, скроила себе рожу и все-таки рассмеялась. Не скажу, что жизнь начала радовать, но сделалось как-то веселее, оптимистичнее, как любит выражаться моя сестра.

Громко распевая, чтобы оптимизм не смылся, я переоделась в купальник, натянула шорты и направилась к двери. В коридоре царила тишина, сильно топая и бог весть почему испытывая от этого неловкость, я прошла к боковой лестнице, спустилась на первый этаж и оказалась на пляже.

Корпус выстроили недавно, двухэтажный, номеров на двадцать, он вызывал чувство гордости за отечественное гостиничное хозяйство: расположен очень удачно и номера выше всяких похвал.

Я прошла мимо душа, выполненного в виде какой-то мифической фигуры, и вступила на раскаленный песок, идти по нему в шлепанцах было неудобно, а без них неприятно, но мелкие неудобства меня не остановили, и через две минуты, бросив вещи на свободный топчан, я уже оказалась в теплой воде, которая к тому же порадовала прозрачностью и отсутствием в ней посторонних предметов.

В последующие три часа я была абсолютно счастлива, то есть ни о чем не думала (этому очень способствовала жара, на солнце, как известно, мозги плавятся и напрягаться не в состоянии).

Солнце переместилось к верхней своей точке, а я торопливо начала собирать вещи, к тому моменту пляж, который и так обилием загорающих похвастать не мог, уже опустел. Двое мужчин неподалеку разглядывали меня с интересом, что придало мне ускорения. «Я становлюсь мужененавистницей, — без радости констатировала я и философски добавила: — Опыт приносит свои плоды». Правда, это был тот опыт, который не радует, и я побрела к корпусу в некотором унынии, но, постояв под душем, смогла вернуть себе недавний оптимизм. Теперь следовало решить, чем занять себя до обеда. Самый простой выход — лечь спать. Но спать не хотелось. Я оглядела номер, точно ожидая подсказки. Можно разжиться любовным романом или детективом, я видела книжный магазинчик в холле, а можно просто погулять по территории отеля, полюбоваться цветочками, живописной панорамой и довольными лицами отдыхающих.

Недолго думая, я решила соединить два варианта в один, спустилась на первый этаж, покинула корпус через центральный вход и по дорожке, выложенной мраморными плитами, прошла к основному зданию. В холле было прохладно, и уходить никуда не хотелось, оттого я, купив детектив в мягкой обложке, устроилась в плетеном кресле возле огромного окна и в самом деле почувствовала себя счастливой. Спокойной-то уж точно. «Все наладится, — думала я, наблюдая, как волны разбиваются об огромный валун и медленно возвращаются назад. — Все как-нибудь устроится».

Однако очень скоро мне пришлось покинуть холл, потому что там появилась парочка с пляжа. Может, их занимали средства для загара, выставленные в витрине, а может быть, я — проверять не хотелось.

По ряду причин мужские особи в последние полгода вызывали у меня стойкую неприязнь. Виновата в этом была лишь одна особь, но неприязнь распространялась на всех.

Я снялась с насиженного места и вышла из здания под сень пальм, потом вспомнила, что забыла книгу, и вернулась. Мужчины, вне всякого сомнения, наблюдали за моими передвижениями, но никаких попыток приблизиться не делали, и это было уже хорошо.

Я взяла книгу, но направилась не в сторону моря, как намеревалась раньше, а к выходу из отеля. Почему, понятия не имею, так что не спрашивайте, вышла, огляделась, быстро поняла, что ничего интересного в этой части земного шара нет, но из духа противоречия решила пройтись до того места, где дорога делала поворот, исчезая из поля зрения, и вновь являлась уже в горах, светлым серпантином поднимаясь к вершине.

Жара здесь была с трудом переносимой, солнце палящим, а воздух тяжелым, и где-то на полпути я оставила идею посмотреть, что там, за поворотом, и вернулась обратно.

Я подходила к стеклянным дверям отеля, когда рядом остановилось такси и из него вышла молодая женщина. Среднего роста, с хорошей фигурой, шарф на голове и темные очки делали ее похожей на звезду Голливуда. Она направилась ко входу, обогнав меня, вдруг оступилась на высоких каблуках, а я едва не налетела на нее, подхватила под локоть, бормоча:

— Извините. — Она хмуро взглянула, и тут произошла вещь совершенно неожиданная: девушка наклонилась, желая убедиться, что с каблуком ничего не случилось, в этот момент очки слетели с ее носа и упали на асфальт, а я, желая обойти женщину, сделала шаг в сторону и на них наступила, раздался характерный треск, и очки приказали долго жить. — Извините, — вторично пробормотала я, чувствуя себя слоном в посудной лавке, хотя, по большому счету, моей вины в происшедшем не было, и все же я ощутила себя виноватой.

— Ерунда, — отозвалась девушка. Лицо ее без очков выглядело простоватым и недовольным.

— Мне очень неловко, — заговорила я, наклоняясь и поднимая очки, их можно было смело выбросить. — Я хотела бы компенсировать...

— Ерунда, — отмахнулась девица и огляделась, нервно облизнув губы. — Ничего не надо. Они стоят копейки.

Очки, кстати, дешевыми не были, как минимум долларов двести, но если для девушки это копейки...

— Если вы передумаете, — на всякий случай сказала я, — то я живу в номере 15 С. Меня зовут Софья.

— Очень приятно, — буркнула девушка, нахмурилась еще больше и добавила: — Мне ничего не надо. — Прозвучало это довольно невежливо, я пожала плечами и замолчала, решив, что совесть моя чиста. Девушка торопливо направилась к дверям, а я последовала за ней, чуть приотстав. Ясно было, что ей, как и мне, общество не требовалось и мое поведение казалось назойливым.

Это было немного обидным, и я поспешила выбросить данный инцидент из головы. С интервалом в несколько секунд мы вошли в холл, она отправилась к стойке регистрации, а я заторопилась к противоположному выходу, но вдруг решила, что это похоже на бегство, и неожиданно для себя устроилась в кресле. Вот уж воистину сказано: ибо не ведают, что творят. Уберись я тогда восвояси — глядишь, избежала бы многих бед, которых у меня и без того хоть отбавляй. Впрочем, наверняка тут не скажешь...

Как бы то ни было, а я устроилась в кресле в трех шагах от стойки, возле которой стояла девица, и уткнулась в книгу, однако на девушку поглядывала. Она на меня тоже. Чем-то я ее здорово раздражала. Если все дело в очках, ей следовало взять у меня деньги, а не злиться.

— У меня забронирован номер, — понизив голос, обратилась она к администратору. — Ушакова Регина Петровна. — Она вновь покосилась на меня, а потом нервно огляделась, а я вдруг подумала, что она чувствует себя без очков крайне неуверенно.

«Это не твое дело», — напомнила я себе, но девушка внезапно вызвала жгучий интерес. Я осторожно ее разглядывала, ничего особенного... Одета дорого, но без шика, вообще она производила довольно странное впечатление. Для дамы с деньгами чересчур испуганная и суетливая. Впрочем, еще вопрос, какое впечатление я произвожу на граждан.

— Пожалуйста, — заговорила администратор, — номер 11 С.

«Это в моем корпусе, — машинально отметила я, — и совсем рядом».

— Мой багаж прибудет через час, — сказала девушка. — Пусть его отправят в номер.

— Да-да, конечно.

Она опять искоса посмотрела на меня и направилась к двери.

Сидение в холле вдруг показалось мне глупым, я хотела подняться, но подумала, что девушка может решить, что я ее преследую, я нахмурилась, осталась сидеть в кресле, а потом разозлилась: с какой стати мне беспокоиться о ее мнении, в общем, после непродолжительной душевной борьбы я последовала за Региной, к тому моменту она успела удалиться на значительное расстояние, и я, наверное, не увидела бы ее, что меня вполне бы устроило, но тут ее окликнули.

— Регина, — услышала я мужской голос, звучал он не то чтобы издевательски, но как-то чересчур насмешливо. Ни девушки, ни мужчины я не видела, их скрывали от меня высокие кусты, в обилии произраставшие вдоль многочисленных дорожек, выложенных плиткой, а я слегка притормозила: говоривший был где-то неподалеку, и следовало решить, продолжать путь как ни в чем не бывало или не попадаться девушке на глаза, раз это ее почему-то нервирует.

Так и не придя ни к чему определенному, я потихоньку двигала в направлении корпуса и очень скоро увидела девушку, она стояла возле небольшого фонтана в форме цветка и выглядела так, точно с минуты на минуту ожидала конца света. На соседней тропинке, выходящей к фонтану, показался молодой мужчина в светлых брюках и темно-синей футболке. Темные очки скрывали его глаза, он улыбался, но, несмотря на это, выглядел едва ли не зловеще. Руки в карманах брюк, тяжелый браслет с подвеской на запястье слегка позвякивал, когда мужчина двигался, а голос стал откровенно издевательским.

— Ах, Регина, Регина, — сказал он, — как ты прекрасна.

Девушка побледнела, бледность не могли скрыть ни загар, ни искусно наведенный румянец, и, отвечая ему, она слегка заикалась, может, конечно, от волнения, но я решила, что от страха.

— В чем дело? — спросила она и даже отступила на шаг, то же самое сделала я и оказалась в тени дерева с неизвестным мне названием, но, безусловно, полезного, ветви его опущены вниз, листва густая, лучи солнца с трудом пробивались сквозь нее. Дерево больше походило на шалаш, в тени которого приятно укрыться от летнего зноя, а еще он оказался вполне надежным убежищем для любопытных Варвар вроде меня. Если честно, особенно любопытно не было, но появляться на тропе в разгар их беседы не хотелось, оттого я и спряталась.

Итак, девушка спросила:

— В чем дело?

А мужчина в ответ пожал плечами.

— Ничего особенного. Просто решил взглянуть на тебя.

— Взглянуть? — Похоже, такое заявление вызвало у нее слишком сильное удивление, как будто один взгляд на нее карался годами тюремного заключения, и вдруг находится дурачок, который готов ими пожертвовать и вот так незатейливо сообщает об этом.

— Конечно, — в свою очередь удивился он.

— Ты с ума сошел, — перешла она на зловещий шепот.

— Вовсе нет, — беспечно отозвался мужчина. — Почему бы нам не провести пару деньков...

— Я сейчас же позвоню Виктору, — начала она, мужчина в притворном испуге замахал руками.

— Не надо. Зачем расстраивать беднягу. Он обожает инструкции... По-моему, только их и обожает. И ни черта не смыслит в том, что происходит в реальности.

— Не понимаю, о чем ты, — насторожилась девушка.

— Ты все прекрасно понимаешь. Ты на редкость сообразительна. Верно?

— Убирайся отсюда, — прошипела девушка, теперь в голосе страха не чувствовалось и заикание улетучилось. — Убирайся. И если по твоей вине что-то пойдет не так... — Договаривать она не стала, решительно зашагала по дорожке, обогнула парня, брезгливо отстраняясь, чтобы не коснуться его локтем, и мгновенно скрылась за ближайшими кустами, мужчина проводил ее взглядом и вполне отчетливо произнес:

— Сука. — А потом, насвистывая, отправился в противоположном направлении.

Через некоторое время я благополучно выбралась на дорожку и зашагала к своему корпусу, настойчиво рекомендуя себе не лезть в чужие дела и для начала выбросить эту девицу из головы. Вернувшись в номер, я устроилась на балконе и углубилась в детектив. Вдруг внизу раздались шаги, и я тут же навострила уши, а затем осторожно приподнялась и выглянула: в корпус входил совершенно незнакомый мужчина. Пришлось признать: реальность занимает меня много больше чужих фантазий, в этом были свои положительные стороны, жизнь заметно наладилась, от утренней хандры и следа не осталось.

— Чудеса, — усмехнувшись, покачала я головой и перестала делать вид, что читаю, просто сидела и наблюдала, не покажется ли возле нашего корпуса Регина или этот ее приятель.

Регину я смогла увидеть минут через десять, и вовсе не возле корпуса. В дверь моего номера постучали, я крикнула: «Входите», — но меня, должно быть, не услышали, потому что вновь постучали. Не очень довольная, я прошла к двери, распахнула ее и увидела Регину. Она стояла на пороге, в глубокой задумчивости созерцая коридор. Если учесть, что он был совершенно пуст, выглядело это, мягко говоря, странновато.

— Слушаю вас, — сказала я, девушка вздрогнула и посмотрела на меня так, точно пыталась понять, что мне от нее надо, как будто это я стояла на ее пороге, а не она на моем.

— Извините, — после полуминутной паузы произнесла она, я к тому времени собралась вторично заявить, что внимательнейшим образом ее слушаю, но она, слава богу, сама очнулась. — Можно мне войти?

— Да, конечно, — кивнула я, пропуская ее вперед. Она прошла, огляделась и сказала с подобием улыбки:

— У меня точно такой же номер.

— Думаю, они в этом корпусе все одинаковые, — ответила я с целью поддержать беседу. «Должно быть, девица решила, что погорячилась, отказавшись от денег за загубленные мною очки, — думала я, — и теперь не знает, как сказать об этом». — Вы по поводу очков? — пришла я ей на помощь.

— Что? — растерялась она, нахмурилась, точно что-то припоминая, и энергично покачала головой. — Нет-нет. Очки ерунда. Не беспокойтесь. Вы давно приехали?

— Вчера.

— Да? И как вам, нравится?

— По-моему, все очень мило.

Девушка говорила, на губах ее держалась улыбка, точно приклеенная, но мысли Регины явно плутали где-то очень далеко от моего номера.

— Я, собственно, хотела спросить... — начала она, вздохнув, — у меня на столе карточка, приглашение на фуршет.

— Да, мне тоже прислали, — кивнула я на карточку, прислоненную к вазе.

— Этот фуршет, он что, обязателен? Туда непременно надо идти?

— Не думаю, — пожала я плечами, вопрос показался мне забавным, да и девица вела себя странно. И тут я вдруг подумала: а что, если она боится? Встретила здесь этого типа... возможно, она совсем одна в этом городе, ни друзей, ни знакомых, ей страшно, и она пришла ко мне, потому что час назад мы столкнулись возле входа и она знает мое имя и номер комнаты. — Присаживайтесь, пожалуйста, — предложила я. — Может быть, хотите сока? Или чая?

— Лучше воды. Не возражаете, если я помою руки?

— Нет, конечно. Ванная вот здесь, направо.

— Я знаю, — кивнула она. Разумеется, знает, раз у нее точно такой же номер.

Ее не было минуты три, я налила ей воды и устроилась в кресле, Регина прошла к столу, посмотрела на карточку, наверняка точную копию той, что была у нее, сделала глоток из стакана и вздохнула.

— Может, стоит сходить, — пожала она плечами, — познакомиться с соседями...

— Конечно, — кивнула я, хотя меня подобные перспективы не особенно увлекали.

— Пожалуй, я схожу, — сказала Регина и пошла к двери. — Встретимся на фуршете, — добавила она и торопливо вышла.

Неожиданно происходящее начало меня раздражать, какие-то девицы, их кавалеры, глупые разговоры... своих мне забот мало. Взяв книгу, я направилась на балкон.

Первые полчаса все шло прекрасно, я освоила четыре главы и совершенно забыла про Регину, вдруг раздался приглушенный стон, я повернула голову, а женский голос грязно выругался. Девице с внешностью Регины не пристало так выражаться, но это была, несомненно, она, голос доносился из распахнутой настежь двери через балкон от меня, то есть из одиннадцатого номера, где поселилась Регина.

— Вот черт, — гневно заметила она на октаву выше, и все стихло. Сколько я ни прислушивалась, никаких звуков уловить не могла. Интерес к детективу был потерян. Я отложила книгу, взглянула на часы и решила, что самое время отправиться обедать. Прошла в ванную, включила воду, в этот момент кто-то постучал в дверь. Стук повторился, и я схватилась за полотенце. «Кого там принесло», — пробормотала я, пытаясь нащупать мокрой ногой тапку, она никак не надевалась, а я разозлилась. К тому моменту, когда я обулась, стук стих, постояв немного и прислушиваясь, я мысленно послала всех к черту и вновь встала под душ. Потом я оделась и, выйдя из номера, прикинула, какой дорогой следует воспользоваться. Одна была короче, другая приятнее. Я выбрала вторую и направилась к боковому входу, вышла к пляжу, повернула направо и вот тут-то заметила Регину.

Сказать, что девушка вела себя странно, — значит не сказать почти ничего. Она вела себя в высшей степени странно. Прячась за кустами, нервно оглядывалась и небольшими перебежками продвигалась в направлении шоссе, то есть я предполагала, что где-то там шоссе, потому что оттуда доносился характерный гул.

Регина замерла, укрывшись в тени живописного грота, и вновь начала свои необычные перемещения, а я с величайшей осторожностью последовала за ней, хотя зачем мне это, в ум не шло. Действовать приходилось крайне осмотрительно, чтобы Регина меня не застукала, оттого я ее и потеряла. Зато обрела ее знакомого. В очередной раз нырнув в кусты, я обнаружила в опасной близости от себя этого типа, который, точно заправский индеец, абсолютно бесшумно двигался в том же направлении, что и я.

К тому моменту мы миновали корпус гостиницы, прошли какие-то хозяйственные постройки, гаражи и полуразвалившиеся сооружения непонятного назначения, то есть не ясно было, почему их до сих пор не снесли.

Все пространство густо заросло деревьями, кустами и травой, успевшей от жары пожухнуть. Растительность здесь была предоставлена самой себе, и пробраться сквозь эти заросли было не так просто. Мне-то уж точно. Особенно после того, как девчонку я потеряла из виду, а парень вот-вот наткнется на меня.

Мне вдруг стало стыдно, чем я тут занимаюсь, черт возьми? Играю в разведчиков? В крайней досаде я взяла левее и вскоре обнаружила кирпичную ограду, чуть дальше в ней зиял пролом, а за ним сквозь деревья виднелось шоссе, две машины я разглядела вполне отчетливо. Выходит, Регина решила покинуть отель, причем не через центральный вход, а через пролом в стене. Что ж, должно быть, у нее есть на то причины. У меня самой пару дней назад возникла похожая ситуация, и я, как партизан, покинула родной город тайными тропами.

Мысленно пожелав девушке удачи, я направилась вдоль стены в противоположном направлении, к счастью, очень быстро обнаружив тропинку. Надеюсь, парень останется с носом, не знаю, кто из них прав, а кто виноват, но женская солидарность дорогого стоит, оттого я желала удачи ей, а не ему.

Выбравшись из дебрей хозяйственных построек и растительности, я очень скоро оказалась в ресторане, располагался он в центральном здании на втором этаже. Больше половины столиков были пусты, из чего я заключила, что особым наплывом отдыхающих отель в настоящее время похвастать не может, меня это не удивило, цены здесь такие, что отдыхать в этом райском уголке могло прийти в голову лишь гражданам вроде моей сестрицы, а таких, слава богу, не много. Дешевле съездить на Канары, но туда по чужому паспорту не выбраться, хотя, как знать... в любом случае, проверять справедливость данного утверждения мне не хотелось.

Очень быстро покончив с обедом, я вернулась в номер, переоделась, решив отправиться на пляж. Но любопытство задержало меня в номере на некоторое время. Я вышла на балкон, чтобы взять купальник, и вдруг услышала, как захлопнулась балконная дверь в номере Регины. Вообще-то ничто не мешало ей захлопнуться от ветра, хотя его в настоящий момент не наблюдалось. Я устроилась в кресле и навострила уши.

Неужели Регина вернулась? Может, она вовсе не

собиралась покидать отель? Тогда какого черта партизанила возле пролома в стене? А я какого черта ломаю голову?

Я разозлилась на свое праздное любопытство; схватив купальник, отправилась переодеваться и... замерла на пороге, на этот раз дверь одиннадцатого номера открылась, женский голос сказал: «Лучше выключить кондиционер», — так что сомнения меня оставили, в номере кто-то есть, впрочем, что значит «кто-то», разумеется, Регина, которая никуда не сбежала. Я покачала головой, удивляясь тому, что вся эта история (впрочем, нет никакой истории) так меня увлекла. Надо признать, по натуре человек я любопытный, а пристальное внимание к чужой жизни дает всегда один результат: наблюдаемый выглядит подозрительно, истина эта общеизвестна. Понаблюдай за передвижениями домохозяйки, добавь к этому немного фантазии, и она очень скоро покажется тебе секретным агентом. Я дала себе слово, что о Регине больше не вспомню, и слово сдержала. По крайней мере, до вечера.

После семи пляж опустел, я вернулась в номер с размышлением на тему, как убить предстоящий вечер. Нечего удивляться, что взгляд мой, скользящий по стенам и мебели без всякой пользы для себя и для них, задержался на карточке, прислоненной к вазе. В восемь вечера фуршет уже не казался более идиотской затеей, чем сидение в номере. Лучше потолкаться среди людей, не бог весть какое развлечение, но время пройдет быстрее, а это то, чего у меня пруд пруди, надо его как-то «убить».

Я извлекла из шифоньера вечернее платье, заботливо приготовленное сестрицей. Платье было в ее вкусе, а не в моем, я критически оглядела себя в зеркале и вынуждена была признать, что Светка знает толк в нарядах. Когда чувствуешь себя красавицей, настроение поднимается, даже если не можешь похвастать, что жизнь тебя особенно радует. В общем, в хорошем расположении духа я отправилась на фуршет.

Веранда ресторана оказалась огромной и по форме напоминала подкову. При желании здесь легко уместились бы человек триста, так что от силы четыре десятка граждан, что бестолково толкались на этом пространстве, создать иллюзию переполненного зала никак не могли. Народ был занят тем, что сновал от стола, накрытого неподалеку от входа, к бару. Парочки перешептывались, а одинокие особи, вроде меня, с увлечением разглядывали окружающий пейзаж. Ужин я проигнорировала, оттого направилась к столу, взяла салат и мысленно вздохнула. За что я ненавижу фуршеты, так это за невозможность поесть как следует. Поковыряв вилкой в тарелке и выпив стакан сока, я поймала себя на том, что то и дело посматриваю на дверь. Выходит, интерес к Регине все еще присутствовал, среди томящихся и застенчиво зевающих ее не было. Я сделала круг по веранде и, убедившись в этом, тоже предалась созерцанию, но на вход поглядывала.

Возле стола возникла дама неопределенного возраста, в туфлях на таких высоких каблуках, что пальцы ее лишь слегка касались пола. Даму заметно колыхало при ходьбе, впрочем, стояла она тоже как-то неуверенно.

— Господа, — зазывно начала она, я обратила внимание на карточку на ее груди и вся превратилась в слух за неимением другого занятия и послушала о том, как администрация любит нас всех и лично меня и что такого завлекательного они подготовили, чтобы мне жилось веселее.

Уже через пять минут я переключилась на пейзаж и на даму перестала обращать внимание, оттого несколько опешила, обнаружив вскоре ее рядом с собой.

— Софья Павловна? — позвала она, протягивая мне руку. — Альбина Степановна. Счастлива познакомиться. — Она продемонстрировала мне все свои зубы в широчайшей улыбке, а я ее зауважала: во-первых, потому, что к фуршету дама готовилась основательно, раз потрудилась узнать имена постояльцев, и не только узнать, но и связать их с определенной внешностью (думаю, происходило это во время обеда, там меня и идентифицировали), во-вторых, в руках у дамы отсутствовало что-либо, кроме стакана с минералкой, никаких карточек, так что выходило, что у нее потрясающая память и на имена и на лица, в общем, она ценное приобретение для отеля.

Не знаю, какого счастья она ждала от встречи со мной, но я тоже в долгу не осталась, раздвинула рот до ушей и сообщила:

— Очень приятно.

— Как вам отдыхается? — сменив счастливую улыбку на материнскую заботу, задала она вопрос.

— Спасибо, все просто отлично, — ответила я.

— Мы со своей стороны сделали все возможное... — Следующие две минуты она продолжала развлекать меня дежурными фразами, я ее не очень-то слушала, сосредоточившись на входе. На веранде появился мужчина лет сорока, яркий брюнет со светлыми глазами и дурацкими усиками, такие любили носить гангстеры двадцатых годов, выглядели они чересчур по-киношному, да и весь вид мужчины — дорогая одежда, дорогие часы — слегка тревожили своей нарочитостью, в общем, глядя на него, физиономия невольно кривилась и думалось: слишком уж хорош, не иначе как дурят нашу сестру.

Заметив мой взгляд, Альбина встрепенулась, разом став похожей на гончую, и сладенько сообщила:

— Очень красив, правда?

— Даже слишком, — не удержалась я.

Тип с усами успел произвести настоящий фурор, все присутствующие не обошли его своим вниманием, мужчины смотрели на него с недовольством, дамы, считавшие себя красавицами, с интересом, а те, кто в глубине души в своей красоте сомневался, с тоской. Он задержал свой взгляд на мне, что совсем меня не удивило, учитывая кое-какие природные достоинства и сногсшибательное платье, и кивнул; я нахмурилась и лишь тогда сообразила, что кивок адресовался не мне, а Альбине Степановне, которая очень громко приветствовала вновь прибывшего.

— Добрый вечер, Кирилл Петрович. Кирилл Петрович Рокотов, — перешла она на шепот, наклонившись к моему уху. — Говорят, очень влиятельный человек. И очень богатый. Нефтяной магнат. Вы знаете, какие деньги люди делают на нефти? Только не подумайте, что я сплетничаю. Но говорят, что Рокотов...

— Кто говорит? — не выдержала я. Дама слегка опешила, не от вопроса, от моей невоспитанности, но, если б она вдруг исчезла с глаз моих и больше не появлялась, я бы возражать не стала, оттого и решила быть до конца невоспитанной. — Кто все это говорит? — повторила я.

— Ну... — протянула Альбина, а я усмехнулась:

— Советую вам как следует проверить сведения. Лично мне он кажется похожим на сутенера. Или карточного шулера.

— Вы думаете? — Вместо того чтобы возмутиться или ледяным молчанием выразить свое отношение к нападкам на нефтяного магната, Альбина Степановна заволновалась. — А мне он показался очень милым. Такой, знаете, обходительный. Хотя, если честно говорить, о нем ничего толком не известно.

Я почувствовала себя идиоткой, моя шутка могла стоить человеку репутации: Альбина Степановна была весьма решительной дамой. Но тут она изрекла:

— Кстати, он вами интересовался. — И мое сочувствие к этому типу сразу улетучилось.

— Мною? — переспросила я.

— Да. Подошел ко мне после обеда и спросил, кто вы и с кем отдыхаете. Сказал, что очень бы хотел с вами познакомиться.

— На всякий случай, Альбина Степановна, я ни с кем знакомиться не хочу.

— Да-да, — произнесла она, по-прежнему пребывая в задумчивости, ну вот, загадала я загадку человеку, теперь бедняжка целый вечер будет размышлять: магнат он или нет, а ну как выйдет, что улыбки она расточала напрасно?

Кивнув мне, Альбина Степановна отправилась восвояси, а я увлеклась пейзажем, правда, Рокотова тоже не забывала, и, если он направлялся в мою сторону, я поспешно удалялась с его траектории, в общем, если он намеревался познакомиться со мной, то в первой половине вечера ему это не удалось, впрочем, очень скоро появилась мадам, которая с лихвой компенсировала ему мое нежелание идти навстречу.

Момент ее возникновения на веранде я проглядела, но вдруг стало как-то шумно, то и дело возникал смех, надо признать, слегка истеричный, голоса сделались громче, а беседа оживленнее, я в это время ела мороженое, устроившись в сторонке в единственном кресле, которое бог знает как здесь оказалось. Слегка заинтересованная причиной всеобщего веселья, я примкнула к обществу, которое концентрировалось в районе стола, и обнаружила там девицу лет двадцати пяти, в ярко-красном платье, с таким декольте, что мой собственный наряд показался форменным платьем гимназистки.

У девицы был высокий визгливый голос, линзы, придававшие глазам слегка пугающий ярко-фиолетовый цвет, и светлые волосы до плеч, с тем характерным желтоватым оттенком, который прямо указывает на то, что дама от природы брюнетка.

Все в ней было так ярко и так фальшиво, что я ничуть не удивилась, сообразив, что, развлекая публику, девица пытается привлечь внимание одного мужчины, того самого типа с усами. На ее ужимки он взирал благосклонно, но не приближался, торчал возле края стола и оттуда весело на нее поглядывал, время от времени хихикая, в общем, она добилась того, чего хотела, с чем я ее мысленно поздравила, а заодно и себя: если у них намечается взаимопонимание, интерес к моей особе должен исчезнуть и опасаться чужой навязчивости не придется. Девица как раз рассказывала о своем отдыхе на Кипре. Надо признать, рассказывала остроумно, народ понемногу к ней подтягивался, и стало ясно, что вечер обещает быть нескучным.

Вдруг выражение лица девицы сменилось, в нем появилась растерянность, она даже чуть сбилась на середине фразы, но через секунду с собой справилась и продолжила повествование как ни в чем не бывало, правда, далось ей это нелегко, хотя, похоже, никто, кроме меня, не обратил на это внимания. Я посмотрела в том направлении, куда мгновение назад взглянула девица, и смогла лицезреть еще одного гостя. Привалясь к балюстраде, в сторонке от общего веселья один-одинешенек стоял мужчина лет тридцати, одетый чрезвычайно демократично: в джинсы, футболку «Nike» и шлепанцы. Физиономия казалась простой и даже глуповатой, однако вынести подобный вердикт мешали глаза, точнее, не сами глаза, они-то как раз были самыми что ни на есть обыкновенными, а их выражение. Парень смотрел насмешливо и вызывающе и выглядел так, точно твердо знал, что сам черт ему не брат и гражданам об этом прекрасно известно.

Он мне не понравился. Такие обычно ходят по жизни, широко расставив локти, и не заботятся о том, где пройдут другие. Тут я обратила внимание на то, что, оказывается, волнение девицы в красном не одна лишь я заметила, по крайней мере еще один человек заинтересовался ее заиканием, и этим человеком был тип с усиками.

Он повернулся, стараясь сделать это максимум незаметно, увидел парня, и физиономия его тоже сменила выражение, на ней читалась озабоченность, но он справился с собой даже быстрее, чем девица, и вернулся к созерцанию ее достоинств. «Очень занятное трио, — решила я и мысленно выругалась. — Ну чего я сую нос в чужие дела?»

Рассердившись на себя, я отошла в сторонку, пытаясь разглядеть море, впрочем, моря я не увидела, только слышала шум волн да лицезрела вереницу огней на набережной. Воздух был пряным, и от жизни хотелось многого.

— Вы очень красивы, — вкрадчиво шепнули совсем рядом, голос вроде бы существовал сам по себе, так что в первое мгновение я решила, что это глюки: немного помечтала, и нате вам, принц из сказки.

Принцем и не пахло, рядом стоял тип с дурацкими усиками и ухмылялся так, точно твердо знал, что я сиюминутно начну срывать с себя одежду. Несмотря на некоторое томление, навеянное южной ночью, до этого все же было далеко, оттого я ответила спокойно и вежливо:

— Я знаю.

— Ну, конечно... мужчины, должно быть, без ума от вас. А как вы относитесь к морским прогулкам?

— Меня укачивает.

— Серьезно? Всегда или бывают исключения?

— Всегда. И это самая большая трагедия в моей жизни.

Он засмеялся, а я дежурно улыбнулась и направилась к столу, он последовал за мной, что не укрылось от зоркого взгляда девицы в красном, глаза ее стали злющими, и я поняла, что ненароком посягнула на чужую собственность, оттого, подхватив стакан с соком, я постаралась оказаться среди граждан, чтобы нефтяному магнату было сложнее расточать на меня свое красноречие. К тому времени девица взяла тайм-аут, ненадолго примолкнув, и общество вновь слегка заскучало, собравшиеся, по-видимому, относились к тому типу людей, коих надо постоянно развлекать.

Рокотов не спеша ко мне приближался, но тут девица, решив не ждать милостей от природы, с бокалом мартини подплыла к нему, а я оказалась рядом с Альбиной Степановной, которая была озабочена настроением гостей, ей так хотелось, чтобы все были веселы и довольны, что она готова была исполнить сальто или пройтись на ушах, да вот жаль, ни того ни другого не умела и оттого сильно печалилась.

— По-моему, вечер удался, — решила я ее утешить.

— Правда? — невероятно обрадовалась она. — Нам так хотелось, чтобы вы почувствовали себя как дома, в кругу друзей. Мы ведь открылись недавно и очень дорожим своими клиентами. — Я кивнула, мысленно съязвив, что по истечении времени на клиентов можно будет наплевать. — Вы все-таки познакомились? — спросила она немного невпопад.

— С Рокотовым? Он сделал мне комплимент. Думаю, второй такой возможности у него уже не будет. Дама в красном взяла его в оборот.

— Ах, эта Регина из одиннадцатого номера... вам не кажется, что она несколько вульгарна? По-моему, она ищет богатого мужа. — Тут Альбина Степановна смутилась, подумав, что замечания в адрес постояльцев могут нанести ущерб репутации отеля, но мне в тот момент было не до ее смущения. Решив, что ослышалась, я спросила:

— Эта дама из одиннадцатого номера?

— Да. Можно сказать, ваша соседка. Регина Петровна. Приехала из Москвы. Кажется, актриса. Кстати, очень интересовалась Рокотовым. Думаю, у нее виды на него, что и неудивительно.

Альбина Степановна, должно быть, забыла, что час назад мы записали Рокотова в сутенеры, она вновь считала его завидной партией.

— Когда она о нем спрашивала? — уточнила я, хотя интересовало меня не это.

— После ужина. Подошла ко мне и спросила, здесь ли он и в каком номере живет.

— А когда она приехала?

— Сегодня, перед обедом.

— Она приехала одна?

— Да. Номер забронировала заранее.

Сомнения меня не оставили. Возможно, Альбину Степановну подвела память и она перепутала даму в красном с Региной. Пожав плечами, я задумалась, а разговорчивая администратор переключилась на полного мужчину по соседству, так что я могла разгадывать загадки без помех. На всякий случай я получше разглядела Регину номер 2: как и первая, она была блондинкой, среднего роста, с хорошей фигурой, нос прямой, губы пухлые, но на этом сходство заканчивалось. Допустить, что Регина каким-то образом перестала быть на себя похожей, я все же не могла, конечно, линзы и косметика творят чудеса, но не до такой же степени. Выходит, Альбина все же их перепутала?

Я еще раз взглянула на Регину, они о чем-то болтали с Рокотовым, особенно счастливым он не выглядел, скорее вежливым, возле них оказался толстяк с Альбиной, и, воспользовавшись этим, Рокотов бочком удалился, вскоре стало ясно: удалился не просто так, а с намерением появиться рядом со мной. Вот уж чего мне совершенно не хотелось, так это продолжать с ним беседу, и я, решив, что пробыла здесь достаточно, чтобы администрация сочла свой долг по моему увеселению выполненным, покинула веранду, спустилась в холл и в большом зеркале смогла лицезреть Рокотова, вероятно, он тоже решил, что свой долг выполнил. У меня было преимущество во времени, он немного отстал и сейчас вряд ли меня видел, но при желании по дороге к корпусу он меня непременно догонит, если я не побегу со всех ног, а бежать мне не хотелось, да и затруднительно это на каблуках, оттого я воспользовалась центральным входом.

Асфальт от дневной жары был мягким, каблуки вязли в нем, а дышать от духоты и выхлопных газов было трудно, за поворотом начиналось шоссе. Многочисленные отдыхающие стайками бродили вдоль дороги, своим утомленным видом больше напоминая рабов на галерах.

Я отчаянно влилась в их ряды, прошла несколько метров и свернула к магазинчику под открытым небом, здесь, несмотря на позднее время, торговали купальниками, шляпами и очками, ничего этого мне было не нужно, просто продолжать прогулку не хотелось, я тянула время, рассчитывая, что Рокотов уже подходит к корпусу. Через минуту стало ясно, что мне повезло. Не сверни я сюда, Кирилл Петрович меня непременно увидел бы, он стоял на ступеньках отеля в свете фонаря и высматривал кого-то в толпе прохожих. Меня, надо полагать. Если он твердо вознамерился познакомиться со мной, у меня два выхода, чтобы не дать ему такой возможности: вернуться к отелю и послать магната, наплевав на хорошее воспитание (кстати, у моей сестрицы большие сомнения, что оно у меня имеется в наличии), или продолжить прогулку, надеясь, что Кириллу Петровичу надоест стоять столбом и он уберется восвояси.

Между тем его настойчивость начала вызывать подозрения. Если он просто искал спутницу на время отдыха, вполне мог остановить свой выбор на Регине, которая Региной вовсе не была. Она сама не против соединить с ним судьбу, по крайней мере на несколько часов, так что хлопот с ней никаких, а со мной намучаешься, это он сообразить должен. Внешне мы относились к одному типу, я тоже блондинка, правда, натуральная, я стройнее, зато у нее бюст роскошней да еще глаза фиолетовые. Может, он любитель преодолевать препятствия? Тогда стоит подумать о том, что на их преодоление может уйти весь отпуск. «Черт знает, что ему надо», — проворчала я, наблюдая, как он прогуливается возле дверей. Похоже, Кирилл Петрович решил там состариться, но меня дождаться. Вторично чертыхнувшись, я уже вознамерилась попросту послать его и отправиться в свой номер, но вдруг вспомнила об изрядной дыре в ограде отеля, которую обнаружила, наблюдая за Региной. Судя по всему, это где-то недалеко от дороги. Если есть тропинка, я пройду к корпусу без проблем, а этот тип может ждать меня здесь хоть до утра.

Недолго думая, я двинула в направлении шоссе, радуясь своей сообразительности, но радовалась напрасно. Я достигла шоссе, корпус виднелся впереди, до половины скрытый оградой и стеной деревьев, справа от шоссе кирпичная стена, заросшая кустами акации. Оказалось, до вожделенной дыры еще очень далеко, а прогулка тут ничего хорошего не сулила, горы щебня, оставшиеся после строительства и прочий мусор могли стать серьезным препятствием. Прибавьте к этому кромешный мрак, потому что ни одного фонаря здесь не было, и станет ясно, почему я пожалела о своем решении, но из упрямства продолжала идти по тропинке, которую найти оказалось несложно.

Прошло минут пятнадцать, а стена была образцовой, без намека на проломы и дыры. Неужто из-за кустов я ее не заметила? В темноте сориентироваться непросто, так что я продолжала движение наудачу. Наконец пролом в стене явился моим очам, я вздохнула с облегчением, и тут выяснилось, что передо мной яма внушительных размеров, пришлось ее обходить, в результате я узнала, что от этого места до моря значительно ближе, чем до шоссе. Планировка отеля представляла собой четырехугольник с острыми углами, я порадовалась приобретенным сведениям, но, как их использовать, понятия не имела. Миновав пролом в стене, я оказалась на территории. Фонари в этой части отеля тоже не горели, предполагалось, что отдыхающим здесь нечего делать, оно, конечно, так и есть, но я даже не видела, куда ногу ставлю, и очень скоро это принесло плоды: я споткнулась и, тихонько взвизгнув от неожиданности, грохнулась на землю, при этом больно ушибла колено. На то, чтобы потереть его, мысленно пожаловаться на судьбу и пожелать Рокотову провалиться, ушла минута, после чего я приподнялась и тут услышала скрип. В общем-то, в этом не было ничего особенного, но я вдруг перепугалась, замерла в крайне неудобной позе, боясь выпрямиться, и огляделась.

Поначалу я его не заметила. Он стоял возле хозяйственной постройки, на которую я еще днем обратила внимание, и в ее тени был совершенно не виден. Но тут вновь раздался скрип, дверь открылась, и показался еще человек, первый шагнул ему навстречу, и вот тогда я его увидела.

— Ну, что? — тихо спросил один из мужчин, а второй ответил:

— Порядок. — Человек кивнул, опять исчез в гараже, или что там это было, и вернулся с тюком на спине. — Пошли, — сказал глухо, и они вместе направились к пролому. Судя по тому, как они шли, ноша не была особенно тяжелой, впрочем, мужчины были рослые, крупные, хотя и тут наверняка не скажешь, разглядеть их как следует я не имела возможности.

— Вот дерьмо, — выругался один из них, должно быть споткнувшись. — Осточертело мне это...

Что «это», я так и не узнала, потому что второй насмешливо отозвался:

— Тогда живи на зарплату.

А я с удовлетворением констатировала, что стала свидетелем заурядного воровства. Дядьки что-то свистнули, спрятали в гараже, ночью забрали, а я успела перепугаться. «Ну, надо же», — покачала я головой, выпрямилась, отряхнула платье, мужчины уже скрылись в проломе, а я сделала шаг, совершенно не собираясь продолжать наблюдение, и тут услышала:

— Нехорошо подглядывать.

Признаться, я подпрыгнула от неожиданности, повернулась и рядом с собой обнаружила еще одного мужчину, нос мой был где-то в районе его груди, в темноте его лицо я видела плохо, но стало ясно: это не Рокотов. Тут парень удивленно сказал:

— Знакомые все лица. Так вы подглядываете или на боевом посту?

— Не понимаю, о чем вы, — ответила я, отступая на шаг.

— Да я сам не понимаю, — флегматично ответил он.

— Тогда, может, вы посторонитесь и я пройду?

— Красивая девушка, ночью, в таком месте... Не боитесь?

— Вы меня пугаете?

— Боже упаси. Я за вас переживаю.

— Слушайте, — не выдержала я. — Если ваши друзья что-то свистнули, так меня это не касается.

— У меня нет друзей, — порадовал он. — Только товарищи. По работе. Я не очень дружелюбный.

— По-моему, вы этим гордитесь. Так я могу пройти?

— Конечно. Я вас провожу до ближайшего фонаря.

— Спасибо, я...

— Не возражайте. Я обожаю блондинок с зелеными глазами. Вы потрясающе сексуальны.

— Прекратите, не то закричу, — разозлилась я.

— С какой стати? — удивился он. — Я же просто комплимент сделал.

Решительно обогнув парня, как неодушевленный предмет, я пошла по тропинке, испытывая крайне неприятные чувства, он шел следом, и это здорово пугало. Он молчал, и теперь тишина казалась гнетущей, лучше бы он продолжал болтать всякую чепуху.

Хоть он и говорил о моей сексуальности, но вряд ли решится напасть, хотя черт его знает, стукнет по голове, и заорать не успеешь. Ободренная этими мыслями, я резко остановилась, развернулась и едва не налетела на парня.

— Ой, — сказал он громко, — вы мне на ногу наступили.

— Идите впереди, — заявила я.

— Почему? Вы что, боитесь?

— Конечно, боюсь.

— Я думал, вы отважная.

Сюда доходил свет фонаря, и теперь я смогла разглядеть парня. К некоторому своему удивлению, я узнала мужчину, что стоял на веранде, тот самый тип в джинсах, футболке и шлепанцах. Он и сейчас был одет точно так же, что, впрочем, удивления не вызвало.

— Это вы, — невпопад заметила я.

— Конечно, я, — обрадовался он и тут же добавил с притворным удивлением: — Мы что, встречались раньше?

— Вы были на фуршете. И нечего придуриваться, вы сказали, что я блондинка с зелеными глазами, должно быть, зрение у вас как у кошки, иначе не ясно, как вы могли в кромешной тьме определить цвет моих глаз?

— А вы хитрая, — усмехнулся он. — Значит, на фуршете вы меня заметили?

— Заметила.

— По-вашему, я привлекательный молодой человек?

— По-моему, вы наглый тип, и у меня нет желания болтать с вами. Кстати, что вы делали возле гаражей? Подкараукивали рабочих?

— Рабочих? А... теперь это так называется? — хмыкнул он. — Нет, я прогуливался перед сном и зашел туда случайно. А вы что там делали?

— Я тоже прогуливалась.

— Может, прогуляемся вместе? — весело предложил он. — Меня зовут Александр. А вас?

— Я не хочу с вами знакомиться, — заявила я.

— Вы разбили мне сердце. Я рассчитывал на романтическое приключение... Слышите? — вдруг спросил он.

— Что? — насторожилась я.

— Кажется, моторка. Думаю, это наши рабочие. Что ж, грамотно, вода безопаснее шоссе. Вы как считаете?

— Я даже не понимаю, о чем вы говорите.

— Тогда вы счастливый человек. — И с этими словами он шагнул в сторону и через мгновение скрылся за кустами акации.

— Ненормальный, — решила я и покачала головой, после чего поспешно направилась к корпусу. Возле него не было ни души, свет горел только в двух окнах, одно из них, на втором этаже, принадлежало Регине.

Я поднялась по лестнице, подошла к своему номеру и ненадолго замерла, косясь на ее дверь. Может, постучать? В конце концов, она ко мне заходила, и я могла бы... неловко как-то, уже поздно. «Я могу зайти к ней завтра», — поразмыслив, решила я и вошла в свой номер, щелкнула выключателем и огляделась. Не знаю, что я ожидала увидеть, номер был пуст, и это вызвало вздох облегчения.

Я прошлась по нему с опаской, заглядывая во все двери, такое поведение здорово напоминало белую горячку, и я вдруг рассмеялась, приняла душ и собралась ложиться спать, подумала и решила закрыть дверь на балкон, ночь обещала быть душной, лучше включить кондиционер. Я подошла к балконной двери.

— Прекрати, — нервно оборвал кого-то женский голос, сегодня вечером я слышала его достаточно, чтобы сразу узнать: говорила Регина номер 2. Я поспешно вышла на балкон и смогла увидеть даму в красном, впрочем, сейчас на ней была пижама ядовито-зеленого цвета. Девица стояла на балконе, устремив взор куда-то вдаль, и, должно быть, пыталась успокоиться, роскошный бюст поднимался и опускался с частотой, указывающей на нервное возбуждение. — Сукин сын, — пробормотала она, вдруг резко повернулась, увидела меня и поспешно скрылась в номере, громко хлопнув дверью.

«Ну и дела, — заметила я в раздумье, укладываясь спать. — Выходит, у администратора проблем с памятью нет. Девица в самом деле выдает себя за Регину. Зачем? Причин может быть множество. К примеру, я здесь тоже по чужому паспорту, — напомнила я себе. — Допустим, Регина приехала, встретила человека, с которым встречаться не имела желания, и поспешно покинула отель, а чтобы деньги не пропали зря, поселила здесь свою подругу. Или все еще проще: настоящая Регина — дама в красном, а та, первая, просто сняла для нее номер, а потом уехала». Мне такой вариант особенно понравился, логично и никаких тайн. Но было одно «но»: встреченный ею мужчина назвал ее по имени, выходит, Регина все же первая. А может, она поняла, что их обман раскусили, и оттого сбежала, а настоящая Регина заняла ее место. И называл первую Регину Региной мужчина в насмешку, давая понять, что их тайна ему известна. «Целый детектив, — покачала я головой. — В любом случае, это не мое дело. Пусть кто угодно живет под чужим именем, мне-то что».

Только я погрузилась в сладкую дрему, как в дверь постучали. Я приподнялась в постели, прислушиваясь, стук повторился, правда, теперь он не был настойчивым, стучали деликатно. Я перевела взгляд на электронные часы: кто мог посетить меня в такое время? Первым на ум приходил Рокотов. Надоело человеку стоять у входа в гостиницу, и он решил проверить, не проскользнула ли я в свой номер. А может, это парень в джинсах, бог весть откуда взявшийся Александр? Этому-то что надо? Пока я размышляла, стук прекратился. Ни шагов, ни шороха, сколько я ни прислушивалась. Я вновь устроилась в постели, но теперь о сладкой дреме можно было только мечтать.

Я лежала с открытыми глазами, пялясь в темноту. Неясный шорох донесся со стороны балкона, я приподнялась, радуясь, что дверь на балкон заперла.

В свете фонарей на пешеходной аллее мелькнул темный силуэт. Кто-то пересек аллею так быстро, что невозможно было понять, мужчина это или женщина.

До самого утра тишину ничто не нарушило. Я проснулась в половине седьмого. Подумав, отключила кондиционер и распахнула балкон. Чайки с громким криком носились над морем. Пляж был пустынным, я подумала: «Самое время искупаться», — и через десять минут покинула номер.

Оставив вещи под разноцветным грибком, я вошла в воду и зажмурилась от удовольствия, в этот ранний час вода была прохладной и удивительно чистой, волны степенно накатывали на прибрежные камни, я быстро приспособилась к их ритму и не заметила, как удалилась от берега на значительное расстояние. Легла на спину, раскинула руки, испытывая настоящее блаженство.

Очень скоро стало ясно, что я здесь не одна. Приподняв голову, я без всякого удовольствия обнаружила неподалеку Кирилла Петровича. Он приближался, радостно мне улыбаясь.

— Доброе утро, — крикнул он, сообразив, что я его заметила.

— Здравствуйте, — без энтузиазма ответила я.

Двумя мощными бросками он поравнялся со мной.

— Любите раннее купание? — спросил, смеясь.

— Люблю, — лаконично ответила я, направляясь к берегу, Кирилл Петрович пристроился рядом.

— Вы вчера так неожиданно исчезли.

— Не пойму, о чем вы?

— Вы пошли прогуляться, я отправился за вами, но потерял из виду.

— Я никуда не исчезала, а вернулась в свой номер.

— Да? Вы куда-то торопитесь? — насмешливо поинтересовался он.

— Вода довольно холодная.

— Вода холодная или мое общество вам неприятно?

— Если честно, я намеревалась побыть одна.

— Прошу прощения, что нарушил ваше уединение, — совершенно серьезно сказал он. — Я подумал, что за радость молодой женщине отдыхать одной... кстати, вы не передумали?

— Насчет чего? — не поняла я.

— Насчет морской прогулки. Вы любите морские прогулки? — настойчиво повторил он.

— Я вам вчера ответила.

— Дорогая, вы ведете себя странно, — заявил он и сам при этом выглядел совершенным психом, то есть был чрезвычайно серьезен, когда нес эту чепуху. — Осторожность — отличное качество, но вы переборщили. Итак, я жду, что вы ответите правильно. Вы любите морские прогулки?

— Кирилл Петрович, — с облегчением нащупав дно под ногами, ответила я. — Что это вам вздумалось играть в шпионов? Что, по-вашему, я должна ответить?

Он тоже встал на ноги, усмехнулся, разглядывая меня.

— Хотел бы я знать, какую игру вы ведете, — покачал он головой, рассмеявшись. — На всякий случай напоминаю, игра может быть опасной.

— Вы успели меня запугать, — усмехнулась я, хотя, признаться, сказанное им произвело впечатление. Мы вместе выбрались на берег, я стала растираться полотенцем, Кирилл Петрович наблюдал за мной и вдруг спросил:

— Вы ведь знаете мое имя?

— Разумеется, вы же слышали, как я вас назвала.

— Значит, вы мною интересовались?

— Скорее наоборот. — Заметив, как поползли вверх его брови, я поспешно пояснила: — Мой интерес был вызван вашим поведением. Альбина Степановна рассказала, что вы жаждали со мной познакомиться. Так что мой интерес объясним. А чем вызван ваш?

— О, господи, дорогая, вы красивая женщина, убежден, самая красивая на побережье, и это как минимум. Я увидел вас в ресторане, и сердце мое было покорено навеки.

— И по этой причине вы придумали игру в вопросы-ответы? — напомнила я, он засмеялся.

— Выбросите это из головы. Я обожаю розыгрыши и шутки. Возможно, эта шутка оказалась не совсем удачной. Ну что, договорились?

— О чем? — удивилась я. Он опять засмеялся.

— Вы мне положительно нравитесь, дорогая.

— А вы мне нет. Вы чересчур таинственны.

— Я всегда считал это достоинством.

— А я терпеть не могу тайны, — заверила я, он подошел ближе, взял меня за руку и, заглядывая в глаза, произнес:

— Извините, я слишком увлекся ролью таинственного злодея. Как вы смотрите на то, чтобы выпить чашку кофе в этот утренний час?

— Что ж, — пожала я плечами. Если честно, он успел меня заинтриговать. Возможно, парень просто валяет дурака, а возможно, за всем этим действительно что-то есть. Я напомнила себе о необходимости держаться подальше от чужих секретов. — Давайте встретимся позднее, — дипломатично предложила я.

— Но проводить-то я вас могу? — улыбнулся он.

— Можете, — кивнула я, и мы зашагали к корпусу. — Чем вы занимаетесь? — спросила я по дороге, с намерением испортить ему настроение, однако отвечал он охотно.

— По большей части ничем. Таких, как я, в позапрошлом веке принято было называть вертопрахами.

— Вот как, а Альбина Степановна утверждала, что вы — нефтяной магнат.

— Альбина Степановна — деятельная дама из администрации отеля? — улыбнулся Кирилл Петрович. — Большое ей спасибо за высокую оценку моей персоны, рад бы соответствовать, но... Впрочем, быть нефтяным магнатом довольно обременительно, как по-вашему?

— Не знаю, быть им не приходилось.

— В любом случае, пусть считает меня кем угодно.

— Боюсь, что я успела посеять сомнения в душе Альбины Степановны, — покаялась я. — Узнав, что вы мною интересовались, я разозлилась и сказала, что вы похожи на карточного шулера.

— Премного вам благодарен, — шутливо поклонился он. — И что сия почтенная дама?..

— Решила навести справки.

— Пусть займет себя делом. Иногда людям полезно дать пищу для размышления.

— Я рада, что вас это не расстроило, — улыбнулась я.

— Выходит, вы в самом деле решили, что я карточный шулер? — засмеялся он.

— Не знаю, что и думать, — усмехнулась я, мы как раз подошли к корпусу, Кирилл взял меня за руку и легонько ее пожал.

— Жду вас через час в кафе на веранде. Вы придете?

— Приду, — кивнула я.

— Отлично.

Он еще раз пожал мне руку и зашагал в сторону своего корпуса, а я поднялась в номер в некотором недоумении. Час назад я твердо намеревалась держаться от этого типа подальше и вдруг собираюсь идти к нему на свидание. Допустим, не совсем свидание, и все же... Я в досаде покачала головой, пошла переодеваться и только в ванной обнаружила пропажу часов. Я быстро осмотрела номер, часов нигде не было, это меня расстроило — часы дорогие, к тому же подарок сестры.

Я попыталась вспомнить, когда видела часы в последний раз. Вчера, отправляясь на фуршет, я их надела, а когда, спасаясь бегством от Кирилла, взглянула, который час, они были на руке. А вот потом... Потом я увлеклась партизанщиной и толком ничего не помню. Перед сном я принимала душ, следовательно, должна была по привычке оставить часы в ванной на полке, но раз их там нет, значит, напрашиваются два вывода: либо я их потеряла, ползая в районе гаража, либо их украли из ванной. Второе предположение казалось совершенно невероятным, оттого я быстро натянула шорты, майку и заспешила к гаражам.

Для рабочих еще рано, так что, если мне повезет, я, возможно, обнаружу свою пропажу. Мне не повезло. Добравшись до гаражей, я тщательно обследовала тропинку, по которой вчера возвращалась, заросли густой травы и даже кусты. Часов не было.

— Черт, — выругалась я, и тут взгляд мой упал на то самое ветхое сооружение, возле которого я встретила ночных воров. За каким чертом меня к нему понесло, ума не приложу, но я устремилась к зданию, потянула на себя перекошенную дверь, сделала шаг и едва не прекратила свое земное существование. Возможно, это сильно сказано, но покалечилась бы я наверняка. Под ногами открылась бездна, то есть не совсем бездна, короче, нога моя зависла, и я едва успела схватиться за дверь, дабы не рухнуть в глубокую яму, как минимум метра два глубиной, а может, и больше. Видимо, когда-то здесь был подвал (возможно, склад), а теперь настил сгнил или его разобрали, в общем, ничего напоминающего полы, просто яма с рваными краями, камнями и всяким мусором на дне. Под моими ногами валялась деревянная лестница, кое-как сколоченная, а в углу несколько кусков старого рубероида.

Я присела на корточки, на всякий случай держась за дверь.

«Дядьки что-то здесь прятали, — рассуждала я. —

Идеальное место. Кто сюда сунется? Впрочем, администрации стоило бы на дверь замок повесить. Не ровен час, кто-нибудь из отдыхающих сюда забредет и свернет себе шею. Делать мне здесь совершенно нечего, ясно, что своих часов я не найду, раз я сюда вчера даже не подходила». Однако я продолжала сидеть, с глупым видом разглядывая яму под ногами.

Тут мое внимание привлекла стена рядом, не сама стена, если быть точной, а кирпичная кладка фундамента, камни выщерблены, а чуть ниже спуск выглядел довольно пологим, по нему можно легко спуститься. Только не спрашивайте, зачем мне это понадобилось, я и сама не знаю. Разумным такой поступок не назовешь, и я бы приписала свое решение воздействию солнечных лучей, но солнце только-только вставало над горизонтом, следовательно, проблема была куда серьезнее.

Не вдаваясь в психологию, в которой ничего не смыслю, я совершенно неожиданно направилась вдоль стены к пологому спуску, каждое мгновение рискуя свалиться вниз. К счастью, этого не произошло, я благополучно достигла нужного места и начала спускаться. Если бы я подозревала, что способна на подобные поступки, то хотя бы брюки надела. Спуск вышел малоприятным и даже болезненным, ладони и коленки я ободрала и здорово разозлилась, в основном на себя.

Наконец спуск закончился, я в досаде огляделась. Только чокнутый решил бы залезть сюда без особой нужды. Я постояла немного, вздохнула и направилась к лестнице. Если выяснится, что она давно пришла в негодность, меня ждут суровые испитания. Однако то, что вчера расхитители чужой собственности как-то отсюда выбрались, внушало оптимизм.

Выходило, что я спустилась в яму лишь для того, чтобы с трудом из нее выбраться. Такой поступок сильно смахивал на идиотизм, и, чтобы оправдать себя в собственных глазах, я с удвоенным вниманием принялась осматриваться. Особо заинтересовали куски рубероида, я передвинула их, осмотрела с обеих сторон и решила, что свою миссию выполнила. И вдруг почувствовала безотчетный страх, оставаться здесь больше не было сил, я с трудом подняла лестницу, прислонила ее к фундаменту и, не раздумывая, выдержит она или нет, полезла наверх. Лестница оказалась коротковатой, но я смогла ухватиться за ручку двери и выбралась с поразившей меня легкостью. Пнула лестницу, она упала, а я выскочила из сарая, тяжело дыша.

Тишина, царящая здесь, здорово действовала на нервы. Я торопливо пошла по тропинке, забыв про цель своего прихода сюда, и едва не заорала, когда кто-то вышел мне навстречу. «Кто-то» оказался Рокотовым.

— Вы меня напугали, — пробормотала я, прижимая руку к груди, и тут же добавила сердито: — Вы что, следите за мной?

— Зачем? — растерялся он, потом оглядел меня с ног до головы и спросил встревоженно: — Где вас носило? Вы напоминаете подростка, который лазает по деревьям с переменным успехом. К тому же мы договорились встретиться. Через десять минут вам надо быть в баре, или вы успели забыть об этом?

— Кстати, вам бы тоже не мешало об этом помнить, — съязвила я.

— Я пришел раньше и немного прогулялся.

— Довольно странное место для прогулок.

— Ну, хорошо, хорошо, — кивнул он. — Я ждал вас в баре и увидел, как вы пошли сюда. Мне стало любопытно, что вам здесь понадобилось, и я отправился следом. И что я вижу, вы появляетесь из каких-то руин с совершенно безумным выражением на лице. А еще упрекали меня в любви к шпионским играм. Что вы там надеялись найти? — Он смотрел на меня с веселой улыбкой, потом неожиданно извлек из кармана мои часы. — Случайно не это ищете?

— Где вы их нашли? — насторожилась я.

— В двух шагах от тропинки, так что вы делали в этих развалинах?

— Я забрела туда случайно. В самом деле искала часы, должно быть, прогуливаясь здесь, я их потеряла. Заглянула в этот сарай...

— Вот что, уважаемая Софья Павловна, хоть вы и не соизволили сообщить мне свое имя, но я его узнал, так вот, давайте-ка пройдем в бар, и вы не спеша все мне расскажете.

— Что «все»? — испугалась я.

— Не знаю, — удивился он, — но уверен, рассказать есть что. Ну, так как?

— Идемте, — кивнула я.

Кофе немного привел меня в чувство, и я, конечно, пожалела о своем решении довериться чужому человеку, да еще такому сомнительному типу, как

Кирилл. Но было поздно, он сидел напротив и ждал моих объяснений.

— Как кофе? — поинтересовался он.

— Что? А... кофе... отличный.

— Итак, вы забрели в этот сарай... — без перехода начал он.

— Да.

— Надо полагать, вы что-то ожидали там найти.

— Почему? — испугалась я.

— Помилуйте, дорогая. В противном случае непонятно, что вы там вообще делали.

— Я же сказала, искала свои часы.

— В сарае? Но если вы надеялись их там найти, выходит, заглядывали туда раньше?

— Послушайте... — сообразив, что попала в ловушку, нахмурилась я.

— Давайте-ка по порядку, — мягко перебил Кирилл и легонько сжал мои пальцы. — Вы мне нравитесь, — добавил он, понизив голос, — и я готов совершать безумства. К примеру, если вы кого-то укокошили, я помогу спрятать труп... — Я не выдержала и засмеялась, он тоже. — Слава богу, мне удалось вас рассмешить, — заметил он. — Вы выглядите такой испуганной...

— Если честно, я действительно испугалась. Вчера, когда вы отправились за мной после фуршета... в общем, мне не хотелось встречаться с вами. Я видела, как вы стоите возле центрального входа, и решила вернуться к себе другим путем. Вы знали о проломе в стене?

— Нет, — покачал головой Кирилл. — Вы выбираете странные места для прогулок.

Я закусила губу и вдруг решилась.

— Это все из-за Регины.

— Из-за той вульгарной девицы в красном? — удивился Кирилл.

— Тут совершенно идиотская история. Вчера я столкнулась с женщиной в холле, она уронила очки, а я неловко наступила на них. Естественно, я извинилась и предложила компенсацию, но она отказалась. Я слышала ее разговор с администратором и таким образом узнала, как ее зовут и где она поселилась. Она отправилась в мой корпус, а я шла следом, но она меня не видела.

— Скажите, Софья Павловна, — серьезно спросил Кирилл. — Вам все граждане кажутся подозрительными, или вы для кого-то делаете исключение?

— Только не подумайте, что я за ней следила.

— Господь с вами, у меня и в мыслях не было. Итак, вы шли за ней, и что?

— Появился мужчина, он назвал ее Региной, и они немного поговорили, ничего особенного, подробностей я не помню. Но Регина испугалась.

— То есть ей эта встреча пришлась не по душе?

— По-моему, так оно и было. Через некоторое время мы опять встретились. Случайно, — торопливо добавила я. — Она шла как раз к тому полуразрушенному строению, где я была сегодня. Мне стало интересно. — Я, кажется, покраснела и оттого разозлилась еще больше.

— Вполне понятное любопытство, — покровительственно изрек Кирилл, и я не сдержалась.

— Идите к черту. Ну да, я любопытна и люблю

совать нос в чужие дела. Что с того? Уголовное наказание за это не предусмотрено.

— У меня и в мыслях не было...

— Не лгите, — нахмурилась я. — Терпеть не могу лицемеров.

— Ну, хорошо, хорошо. Я подумал, что вы любите совать нос в чужие дела, но, как вы сами только что заметили, это не уголовно наказуемо, к тому же вы так красивы, что любой ваш недостаток автоматически становится достоинством. Давайте вернемся к Регине. Итак, она зачем-то отправилась в этот сарай...

— Вовсе нет, то есть я не имела в виду, что она пошла в сарай, что ей было там делать? Но рядом пролом в стене. Когда я его увидела, сообразила, что девушка просто хочет покинуть отель никем не замеченной.

— Странно, не правда ли? — без улыбки сказал Кирилл.

— Почему странно? Напротив, если учесть, что встреча с тем мужчиной явно не пришлась ей по душе.

— Вы видели, как она покинула территорию отеля? — серьезно спросил Кирилл.

— Нет. Когда я поняла, в чем дело, потеряла всякий интерес и разозлилась на себя за праздное любопытство. Я слышала шум дороги и даже заметила машины, ясно, что девушка направлялась туда.

— Где вы примерно находились, когда решили вернуться?

— Метрах в пятидесяти от сарая, — покорно ответила я.

— Никого, кроме Регины, там не заметили?

— Ее знакомого. Он шел следом.

— Не слышали никакой подозрительной возни?

— Что вы имеете в виду?

— Просто удовлетворяю любопытство. Видите ли, я тоже ужасно любопытен.

— Все было спокойно. Даже ее шагов я не слышала, вероятно, она шла по траве. Я отправилась на обед, а вечером на фуршете появилась эта девица в красном платье.

— Которая тоже оказалась Региной, — произнес Кирилл.

— Не тоже. Если верить Альбине Степановне, она и есть Регина. А той девушки как будто и вовсе здесь не было.

— Занятная история. Вполне годится для детектива. Как считаете? Хотя на самом деле разгадка может быть до смешного простой.

— Вчера я тоже так думала, — кивнула я.

— Да, а что сегодня?

— Не знаю, — честно ответила я. — Ночью я видела двух типов как раз возле сарая. Они вытащили оттуда какой-то тюк и вынесли через пролом в стене.

Кирилл с минуту смотрел на меня не мигая, затем кивнул.

— Занятно, — сказал нараспев.

— Занятно? — фыркнула я и торопливо огляделась. — А вам не кажется...

— Совершено убийство? — перегнувшись ко мне, прошептал он.

— Вы думаете, фактов недостаточно?

— Софья Павловна, какие факты? — развел он руками. — Бьюсь об заклад, если мы сейчас отправимся в милицию, там над нами посмеются. Им труп подавай, тогда они зашевелятся. А без трупа... — Кирилл вновь развел руками.

— Значит, вы считаете, что заявлять в милицию я не должна?

— Конечно, решать вам. Что-то подсказывает мне: ранее с милицией вы дел не имели. Угадал?

— Угадали. Какие у меня могут быть дела с милицией?

— Вот-вот, думаю, ваше представление об этих деятелях — результат чтения детективов. Так вот, боюсь, вы будете разочарованы. В прошлом году у меня угнали машину, и я имел несчастье познакомиться со стражами порядка. Я очень пожалел, что обратился к ним. Машина не стоила тех нервов и времени, которых я благодаря им лишился. Разумеется, если вы твердо решили выполнить свой гражданский долг, я вас в беде не оставлю, но мне уже заранее тошно.

— Вы так говорите...

— Я так говорю, потому что точно знаю, что ничего из этого не выйдет.

— Я вовсе не собираюсь бежать в милицию, — хмуро сообщила я. — В конце концов, это не мое дело. Вы правы, я даже не знаю, что там произошло, если вообще что-то произошло.

— Предлагаю следующее, — вновь понизил голос Кирилл. — Давайте понаблюдаем за девицей в красном.

— Кстати, она хотела с вами познакомиться, — вспомнила я и невольно насторожилась. Кирилл даже бровью не повел.

— Да? Отлично. Значит, мы сможем это использовать и кое-что разнюхать. Ну как, согласны?

— Согласна, — самой себе удивляясь, кивнула я.

— Отлично, — улыбнулся он широко и лучезарно, разом лишившись моего доверия. У меня было чувство, что меня водят за нос, причем делают это непринужденно и с удовольствием.

Я хмуро взирала на Кирилла, пытаясь понять, что за черт заставил меня все рассказать этому типу. Умные мысли, как известно, приходят в глупые головы с большим опозданием, и я только вздохнула.

Почувствовав во мне перемену, Кирилл напустил в глаза тумана, легонько сжал мою руку и с нежностью произнес:

— Все будет хорошо.

Что там хорошего он увидел впереди, уточнять я не стала, а просто кивнула.

Примерно через полчаса я смогла убедиться, что Кирилл взялся за дело с энтузиазмом и размахом. Выходило, либо человеку нечем себя занять, поэтому от чужих секретов его разбирает, либо все далеко не так просто, и он во всем этом имеет личный интерес.

Я забеспокоилась и даже затосковала, но покорно следовала его ценным указаниям, хотя чего проще: послала бы Кирилла куда подальше и избавилась тем самым от многочисленных неприятностей, но не послала, и неприятности, само собой, явились как по заказу и в большом количестве.

Итак, через полчаса мы двигали в направлении кабинета Альбины Степановны, составив подобие плана. Конечно, честь его составления принадлежала Кириллу, а осуществлять надлежало мне. В трех шагах от кабинета мы разделились. Кирилл, нацепив на физиономию свою лучшую улыбку, уверенно взялся за ручку двери, даже не постучав, а я укрылась за колонной, облицованной искусственным мрамором, чувствуя себя то ли агентом 007, то ли просто дурой.

Между тем Кирилл скрылся в кабинете, а через пару минут вновь возник в сопровождении сияющей улыбкой не меньше его Альбины Степановны, он увлек почтенную даму к окну возле противоположной стены (должно быть, предложил полюбоваться пейзажем), а я нахально вломилась в кабинет. Кирилл поклялся, что удержит Альбину Степановну возле себя столько времени, сколько потребуется, и я ему верила, но злоупотреблять его талантами не хотела, потому намеревалась пробыть в кабинете максимально короткое время.

Кабинет был небольшой, уютный и говорил о стремлении хозяйки к основательности и порядку. Плотно прикрыв за собой дверь, я быстро огляделась. Стол, три кресла, шкаф, затейливая композиция из веток и сухих цветов на консоли, картина в раме: замысловатые пятна на сером фоне, непонятно, но миленько. На столе неизменный компьютер, к нему-то я и устремилась, он был включен, так что много времени у меня шпионаж не занял.

Через несколько минут в руках был лист бумаги с паспортными данными Регины. Косясь на дверь (если бы кто-то заглянул в кабинет и обнаружил меня здесь, мне было бы нелегко объяснить свое увлечение компьютером), я не удержалась и проявила интерес к еще одному имени. Если верить прочитанному, Рокотов Кирилл Петрович являлся ведущим инженером нефтяной компании с замысловатым названием и штаб-квартирой в Тюмени. Рассовав бумаги по карманам, я выпорхнула из кабинета и укрылась за той же колонной. Кирилл, развлекая даму, не забывал поглядывать в нужном направлении и мой маневр углядел, подхватил трепещущую от счастья Альбину под руку и проводил до дверей кабинета, дважды приложился к ручке (ее, не дверной) и удалился с поясным поклоном. Как дама пережила обрушившийся на нее шквал неожиданного счастья, судить не берусь, но могу засвидетельствовать: на ногах устояла. Альбина вернулась в свой кабинет, а Кирилл заспешил ко мне.

— Ну, что? — спросил с улыбкой, я молча протянула ему листок бумаги. Он пробежал его глазами, кивнул и сказал: — Отлично. Идемте ко мне в номер.

— Зачем? — насторожилась я.

— Неужели вам не интересно? — в удивлении поднял он брови.

— Что? — решила я все-таки уточнить.

— Как что? — Я поставила его в тупик своим вопросом. — Ваша это Регина или нет.

— А выяснить сие возможно только в вашем номере?

— Мне нужно позвонить. Я собирался здесь отдохнуть и даже «ноутбук» с собой не взял, чтобы самого себя в соблазн не вводить, так что мне потребуется помощь.

— Хорошо, — пожала я плечами, и мы направились в его номер.

— Кстати, почему бы нам не перейти на «ты»? — спросил он по дороге. — Только не спрашивайте зачем, — весело хихикнул он. — Я и сам не знаю.

— Тогда не стоит, — решила я.

— Я вам чем-то не симпатичен? — не поверил он.

— Напротив. Боюсь увлечься. Так что лучше соблюдать дистанцию.

Он вновь хихикнул, но ответом, судя по всему, остался доволен.

Номер его просто обязан был произвести впечатление на неискушенную девицу моего возраста. Беда в том, что последние полгода меня только и делали, что искушали, и роскошный номер не произвел должного впечатления. Я вошла, устроилась в кресле и спросила:

— Кому собираетесь звонить?

Должно быть, в глубине души Кирилл счел вопрос неприличным, но ответил:

— Приятель за пару часов все узнает об этой Регине.

Телефоном при мне Кирилл пользоваться не стал,

взял сотовый и удалился в спальню, разговор с приятелем я слышать не могла, ответ Кирилл планировал получить часа через два, так что в моем присутствии здесь необходимости не было, как видно, Кирилл просто решил держать меня на глазах. Вернулся из спальни, подмигнул и сказал:

— Порядок.

— Если настоящая Регина окажется той первой девушкой, мы пойдем в милицию? — спросила я, этот вопрос в самом деле меня очень волновал, Кирилл пожал плечами.

— По-моему, мы просто обязаны это сделать. Разве нет?

— Конечно, — согласилась я, взглянула на часы и сказала: — Пожалуй, отправлюсь на пляж.

— Я с вами, — с готовностью заявил он.

— Вовсе не обязательно, — начала я, но Кирилл меня перебил:

— А вам не приходило в голову, что это может быть опасным?

— Что? — облизнув вдруг пересохшие губы, задала я вопрос.

— По-моему, вы являетесь тем самым ненужным свидетелем, которые, по общему мнению, долго не живут.

— Это вы так шутите? — разозлилась я.

— Извините, — покаянно вздохнул он. — Вы мне нравитесь, тут уж ничего не поделаешь. И я не прочь воспользоваться ситуацией. Ну а если серьезно... черт знает, что тут произошло, на всякий случай следует соблюдать осторожность.

— С моей стороны было бы непростительно злоупотреблять вашей добротой, — не без язвительности заметила я.

— Злоупотребляйте, — милостиво кивнул он, и мы отправились на пляж, но перед этим, заглянув в свой номер переодеться, я позвонила сестре.

— Светка, — сказала я с намеком на отчаяние, чтобы она не смела возмущаться или послать меня к черту, — сделай доброе дело.

— Какое? — забеспокоилась она.

— Узнай все, что можешь, об одном типе, данные я продиктую.

— Что значит «узнай»? — все-таки фыркнула она.

— Ты все можешь, — заверила я, — к тому же он имеет отношение к нефти.

— Имеет отношение к нефти, — передразнила Светка, — да у нас полстраны... эй, кого ты там подцепила? — вдруг заволновалась она.

— Это я и хочу выяснить. — Я продиктовала Светке данные Кирилла, голос ее заметно подобрел.

— Не женат, солидный мужчина, в том смысле, что не сопливый мальчишка, и должность не последняя. А как он внешне?

— Красавец, — заверила я.

— Серьезно? Так, может, тебе повезло? Господи, хоть бы повезло, — взмолилась она. — Сплю и вижу тебя замужем за хорошим человеком.

Что да, то да, выдать меня замуж, то есть не просто выдать, а выдать «удачно», как она это понимала, было навязчивой Светкиной идеей, именно благодаря ей я и оказалась в дрянной ситуации, разрешить которую была не в силах, оттого попросту сбежала, и вздохи сестрицы в настоящий момент не нашли во мне отклика.

— Прояви бдительность, — попросила я.

— Уж можешь не беспокоиться, всю подноготную...

— В прошлый раз это не помогло, — напомнила я, а она вздохнула.

— Сама не пойму, как я могла так лопухнуться.

— Ладно, — поспешила я закрыть болезненную тему.

— Будут новости, позвоню, — заверила Светка и добавила: — Я рада, что ты развлекаешься. Даже если этот тип гроша ломаного не стоит, не отчаивайся. Тебе надо развеяться, так что наслаждайся жизнью.

— Стараюсь изо всех сил, — ответила я, и мы простились.

Светка наверняка узнает о Кирилле все возможное, такому моему убеждению способствовал тот факт, что замужем сестрица была за нефтяным магнатом губернского розлива и навести кое-какие справки ему ничего не стоило. Так как Сергей Петрович, ее муж и мой дражайший родственник, тоже принимал горячее участие в моей судьбе и это его стараниями я сейчас отдыхала вдали от дома, я была уверена, что к просьбе жены он подойдет со всей ответственностью.

Я покинула номер. Все это время Кирилл ждал меня в холле, устроившись таким образом, чтобы и коридор, и моя дверь находились в поле его зрения, причем выражение его лица было весьма серьезным до тех пор, пока он не увидел меня; на физиономии его тут же расцвела уже привычная улыбка, и это навеяло малоприятные мысли, которые, приди мне охота свести их к одной фразе, звучали бы примерно так: «Во что я опять вляпалась?»

Стараясь не очень увлекаться пессимистическими рассуждениями, я приблизилась, и мы наконец-то пошли на пляж, где и пробыли до самого ужина.

С интервалом примерно в полчаса на пляже появилась Регина в сопровождении вихрастого молодого человека, тощего и нескладного, взирающего на нее с томным обожанием, которого она, впрочем, отшила довольно бесцеремонно и расположилась неподалеку от нас. Вскоре выяснилось, Регина не оставила своей затеи соблазнить Кирилла, по крайней мере, попыток обратить на себя внимание предприняла великое множество. Раз десять прошла мимо без всякой на то нужды, каждый раз взирая с таким жаром, что Кириллу в пору было расплавиться, но он только ухмылялся. Дважды Регина обратилась к нему с просьбой одолжить зажигалку, затем попросила оказать ей услугу: намазать спину маслом для загара, просьба совершенно неприличная, учитывая обстоятельства, но ее это вроде бы не смущало, бедняжка просто из кожи вон лезла, точнее из купальника, злилась и продолжала свои попытки, так что становилось ясно: Кирилл ей нужен до зарезу.

Конечно, он красавец, и, возможно, деньги у него водились, но такой напор все-таки был явным перебором, так что оставалось лишь гадать, чего в действительности добивалась хваткая девица. По моему мнению, она его должна была уже тихо ненавидеть, и, судя по ее лицу, которое время от времени перекашивалось от злости, так оно и было, но девица держалась мужественно, а Кирилл вроде бы вовсе ничего не замечал, улыбался, говорил чересчур вежливо и без нужды в ее сторону не смотрел. В конце концов это стало смешно, девица в крайней досаде собрала вещички и исчезла, а Кирилл весело мне подмигнул.

— Она на вас глаз положила, — съехидничала я.

— Точно.

— Могли бы проявить сострадание.

— Она не в моем вкусе.

— Вчера я была уверена в обратном.

— Напрасно, — беспечно улыбнулся он, а я продолжила:

— Кстати, вы сами говорили, что это самый простой способ добыть нужные сведения.

— О, господи, дорогая, что за жаргон? Вы изъясняетесь, как заправский разведчик. К тому же это пошло. Я имею в виду — использовать женщину в корыстных целях. По натуре я джентльмен.

Я только хмыкнула в ответ.

Ужинали мы вместе, и я даже не удивилась, увидев за соседним столом Регину. Должно быть, у нее в номере бинокль, и с его помощью она следит за нашими передвижениями. Кирилл сидел к ней спиной, и бедняжке ничего не оставалось, как любоваться его затылком, это она и делала. Если б от ее настойчивого взгляда в самом деле могла образоваться дыра, Кирилл заработал бы ее во весь затылок. В отличие от Кирилла я сидела к ней лицом, оттого имела возможность наблюдать, и взгляд, растерянный и даже испуганный, брошенный ею украдкой в сторону балюстрады, от меня не укрылся. Я проследила ее взгляд, но, кому он адресовался, увидеть не смогла, с моего места стоявшего там мужчину не разглядеть, я заметила лишь тень, впрочем, я даже не была уверена, что это мужчина, но решила, что так оно и есть, представить, что там стояла женщина, все же было затруднительно.

Регина с кем-то разговаривала вчера в своем номере, а сейчас некто с неодобрением взирает на ее безуспешные попытки подружиться с Кириллом, короче, я решила, что у нее есть сообщник. Нечего объяснять, как любопытно мне было взглянуть на него, я принялась наблюдать с удвоенным рвением, но толку от этого не было вовсе. Мужчина или женщина, но одно несомненно: человек был крайне осторожен и не заинтересован в том, чтобы его видели.

— Кого вы там высматриваете? — вдруг спросил Кирилл, стало ясно, что он, в свою очередь, не оставлял меня без внимания.

— Никого, — ответила я с сожалением. — А хотелось бы: Регина несколько раз с беспокойством смотрела в сторону балюстрады.

— А вы наблюдательны, — усмехнулся Кирилл.

— Она сидит напротив, — пожала я плечами.

— Сонечка, — позвал он, откидываясь на спинку стула, и приобрел до того вальяжный вид, что сходство с каким-нибудь великосветским донжуаном стало абсолютным, — чем вы занимаетесь в этой жизни?

— Пишу картины маслом, — ответила я первое, что пришло в голову, кстати, это было правдой.

— Портреты? — заинтересовался Кирилл.

— Нет. Цветочки. В вазочках.

— И как? Продаются?

— В основном с благодарностью принимаются моими подругами с целью украсить дачные веранды. Они и в самом деле выглядят премиленько.

Он хмыкнул, посмотрел на меня и вновь спросил:

— Тогда еще вопрос, на что вы живете?

— У меня сестра замужем за богатым человеком. Обещала и меня пристроить, но пока не получается, богатых не так много, а желающих выйти за них замуж предостаточно.

— Вы всерьез об этом мечтаете? — не поверил он. Я пожала плечами.

— Конечно.

— Позвольте усомниться в вашей искренности. Вы чересчур независимы, чтобы стать игрушкой в руках какого-нибудь придурка.

— Ваше мнение обо мне явно завышено.

— А если серьезно, чем вы занимаетесь? Работаете, учитесь?

— Работаю. В солидной компании, в отделе маркетинга. Приличная зарплата, приличные перспективы. Вполне могу позволить себе раз в год отдохнуть здесь, не залезая в карман сестры.

— Я так и подумал, — решил он удовлетворенно,

а я мысленно усмехнулась, то есть все, что я говорила, было правдой, до недавнего времени. С работы пришлось уйти в долгосрочный отпуск, и еще вопрос, когда я смогу вернуться, если вообще смогу, хотя я старалась быть оптимисткой.

После ужина я отправилась к себе в номер, на вечер администрация запланировала для нас культурную программу с выступлением артистов. Кирилл предложил пойти, и я согласилась, но до десяти, а именно в десять должно было начаться представление, решила отдохнуть.

Однако намерениям моим не суждено было осуществиться. Только я вошла в номер, как позвонила Светка. Голос звучал встревоженно.

— Слушай, Сережка совершенно убежден, никакого Рокотова Кирилла Петровича в фирме, что ты назвала, нет. По крайней мере, на руководящих должностях. О таком там даже не слышали. Во что ты опять вляпалась?

— Успокойся, — попросила я. — Человек решил за мной приударить, наврал с три короба, чтобы произвести впечатление, но твоя сестра не дура, а ты вообще молодец, мы махом вывели его на чистую воду.

— Он меня беспокоит. А что, если... — Тут сестрица осеклась, но я прекрасно поняла, что она имеет в виду. Я начала прикидывать и так и эдак, и мысль в конце концов показалась мне фантастической.

— Маловероятно, — заметила я, чем, безусловно, ее утешила.

— Правду говорят, ошпаришься чаем, будешь

дуть на молоко... Но если честно, на душе как-то неспокойно. Держись от этого типа подальше.

Совет немного запоздал, но все же я поблагодарила сестру и ответила в том смысле, что непременно поставлю на место обманщика.

Только я с ней попрощалась, как обманщик явился собственной персоной. Встретила я его не то чтобы не ласково, но без охоты, теперь он и вовсе никакого доверия не вызывал. Однако гнать его, так ничего и не прояснив с Региной, не хотелось.

— Мы договорились встретиться в холле, — напомнила я.

— Извините. Только что позвонил мой приятель. Он навел справки об этой Регине. Я думал, вам будет интересно.

— Конечно, мне интересно, — согласилась я. — Так что он узнал?

— Тут неподалеку переговорный пункт, работает круглосуточно, я перезвоню оттуда приятелю, а он по факсу перешлет сведения, что удалось собрать, а главное — фотографию. И мы наконец-то все узнаем.

Предложение показалось мне дельным, и я с готовностью последовала за Кириллом. Не успели мы выйти из корпуса, как я почувствовала на себе чей-то взгляд, надо сказать, не почувствовать было затруднительно, он буквально жег затылок. Я обернулась и на балконе увидела Регину, выражение лица у нее было такое, что я почти уверена, девица желала мне провалиться ко всем чертям.

— Девушка на посту? — усмехнулся Кирилл, не оборачиваясь.

— Чем вы ей так интересны? — покачала я головой.

— Теряюсь в догадках, — развел он руками. — Конечно, мое обаяние и все такое... но на вас, к примеру, оно вовсе не действует. Говорите, у Регины есть спутник? Может, кто-то из старых знакомых пожаловал.

— Звучит немного зловеще, — не выдержала я. — Наверное, это не совсем прилично, но я все-таки спрошу, тем более что вы мне такой вопрос задавали. Чем занимаетесь, Кирилл Петрович? — Я была уверена, что он начнет увиливать, но он, признаться, удивил. Взглянул на меня, рассмеялся и спросил:

— Вам правду или то, что я обычно говорю в таких случаях? Признайтесь, сегодня вы, заглядывая в компьютер дражайшей Альбины Степановны, и мной поинтересовались?

— Конечно. Ну, так чем занимаетесь?

— Я — карточный шулер, — глазом не моргнув, ответил он, а я растерялась, замерла столбом и даже неприлично широко открыла рот.

— Шутите? — подождав немного и ничего не дождавшись, спросила я.

— Сама серьезность. Ведь именно так вы охарактеризовали меня администратору. Забавно, как вы догадались?

— Ничего я не догадывалась... Да вы просто смеетесь надо мной.

— И все же вы оказались правы. Кочую по дорогим курортам, надеясь подцепить богатого лоха. Слава богу, таких предостаточно.

— Что-то я вас с картами в руках не видела.

— Ну, дорогая, дело это тонкое и спешки не терпит. Надо познакомиться с людьми, войти в доверие. Поспешность нужна лишь при ловле блох, пардон за банальность.

— Понятно, — в задумчивости кивнула я, теперь липовые сведения в регистрационном листе стали вполне объяснимы.

— Вас шокирует моя откровенность? — через пару минут спросил он. Я подошла к вопросу ответственно и задумалась.

— Нет, — ответила я, потратив на размышления довольно много времени, Кирилл вел себя образцово, скромно помалкивая. — Честно говоря, чего-то в этом роде я ожидала.

— Неужто я произвожу впечатление жулика?

— Не расстраивайтесь, — утешила я. — Дело не в вас, а во мне. Я в принципе не доверяю мужчинам.

— Досталось от нашего брата? — спросил он весело, а я кивнула.

— Ага. По самое «не могу». А что это вы решили со мной откровенничать? — съязвила я.

— Ну... девушка вы... как бы это выразиться... недоверчивая, одним словом. Начнете подозревать во всех смертных грехах, а это хлопотно. Лучше сразу покаяться и быть друзьями.

Не очень-то я верила в его искренность, но кивнула. Его способ зарабатывать деньги особого впечатления не произвел, меня это попросту не касалось. Сама я в карты не играла и не в состоянии была понять чужой страсти, так что, если Кирилл играет на чужих пороках, пусть расплачиваются те, кто не может от них избавиться. Конечно, уважения к нему это не прибавило, зато стало как-то спокойнее, то есть понятнее. Как раз на это он, должно быть, и рассчитывал.

Между тем мы подошли к переговорному пункту. Девушка лет двадцати пяти приветливо нам улыбнулась, заслышав дверной колокольчик и подняв голову от журнала. Кирилл объяснил, чего мы хотим от нее, затем позвонил другу по сотовому, а через минуту девушка приняла факс. Не могу сказать, что ожидала чего-то в этом роде, просто происходящее вокруг было столь замысловатым, что удивляться не стоило, и все же полученные сведения повергли в изумление.

Мы покинули переговорный пункт, и Кирилл сказал:

— Это не дама в красном. Выходит...

— Ничего не выходит, — покачала я головой, еще раз взглянув на фотографию. Особым качеством похвастать она не могла, но одного взгляда было достаточно, чтобы понять: ничего общего с Регинами, как с первой, так и со второй, женщина на фото не имеет. На меня смотрела дама лет тридцати пяти, с короткой стрижкой, химической завивкой, сильно подведенными глазами и походила на продавщицу овощного магазина, водителя троллейбуса или медсестру сельской больницы, в общем, она не была похожа на даму полусвета, каковыми предстали обе Регины. Однако текст под фотографией гласил: Ушакова Регина Петровна, уроженка с. Покровское Ивановской области, проживает по адресу: г. Москва, Ленинградское шоссе и т.д. Замужем. Не работает. Дочь инвалид I группы. — Ничего не понимаю, — в досаде пробормотала я, еще раз прочитав текст, паспортные данные, позаимствованные мною из компьютера Альбины, и те, что приводились здесь, одни и те же, вплоть до последней цифры.

— Это уже третья Регина? — усмехнулся Кирилл.

Я кивнула:

— Чепуха, правда?

— Ну... — пожал он плечами. — Кто-то воспользовался чужим паспортом. Дело обычное. — При этих словах он взглянул на меня с улыбкой, а я почувствовала беспокойство, похоже, не только я проявила интерес к его персоне, но и он к моей, и знал обо мне гораздо больше, чем желал показать.

— Не буду утверждать, что, с моей точки зрения, это обычное явление, — нахмурилась я, — но речь сейчас не об этом. Мы собирались прояснить ситуацию, а она еще больше запуталась.

— Давайте прикинем, что мы имеем, — предложил Кирилл, усаживаясь на скамейку в тени деревьев, я села рядом. — Итак, вы сталкиваетесь с девушкой, которая устраивается здесь по чужому паспорту. Через некоторое время вы видите, как она встречается с мужчиной.

— Который, кстати, назвал ее Региной.

— Точно. И эта встреча, судя по всему, ей не понравилась. Девушка спешно покидает отель, а на ее месте и под ее именем появляется некая особа...

— Которая испытывает к вам повышенный интерес, — закончила я.

— Надеюсь, вы не думаете, что я имею ко всему этому какое-либо отношение? Хотя, возможно, имею, только сам об этом не знаю. Например, как я уже говорил ранее, это старые приятели, которые ищут со мной встречи.

— Слово «приятели» вы используете в переносном смысле? — уточнила я.

— Пока в буквальном. Ни вы, ни я не знаем, что этой девице от меня нужно.

— Ну так узнайте.

Он весело хихикнул.

— Не в моих правилах облегчать людям жизнь. Посмотрим, что она предпримет дальше.

Если бы здравого смысла во мне было чуть больше, я собрала бы вещи, вызвала такси и покинула отель, что, безусловно, сказалось бы на моей судьбе самым благотворным образом. Вместо этого я самодовольно решила, что не позволю Кириллу втянуть меня в свои игры и в любой момент смогу прекратить все это, следовательно, убегать не стоит.

Кирилл наблюдал за мной с мягкой улыбкой, взял за руку.

— Знаете, а вы в самом деле мне нравитесь. Должно быть, не подозреваете об этом, но по натуре вы авантюристка.

— Хотите предложить мне партнерство? — хмыкнула я.

— Не обольщайтесь, — ответил он неожиданно серьезно. — Это трудная и опасная работа, требующая сил, таланта, опыта, а у меня нет времени на ваше обучение, да и желания тоже нет. Я по натуре одинокий волк и в компаньонах не нуждаюсь, даже в таких привлекательных. Ну, что решили? — резко сменил он тему.

— Вы имеете в виду Регину? Не знаю. По большому счету, это не мое дело. Будем считать, что любопытство я удовлетворила, а там... посмотрим.

Мой ответ вызвал явное облегчение, хоть Кирилл и силился выглядеть равнодушным: мол, что бы я ни решила, он со всем соглашается заранее. А меня так и подмывало заявить, что я передумала и иду в милицию, любопытно было бы взглянуть, как он отреагирует. Однако что-то подсказывало мне, что это может кончиться плохо, и не только потому, что ничего хорошего от встречи с милицией я не ждала. Понаблюдав немного за Кириллом, я пришла к выводу, что, несмотря на внешний лоск, аристократические манеры и большое желание нравиться дамам, человек он опасный, было в нем что-то прозрачно намекающее на это, в общем, сквозь личину цивилизованного человека проглядывало волчье нутро.

Поразмышляв, я пришла к выводу, что от него стоит держаться подальше, а для начала необходимо сделать вид, что история с Региной перестала меня интересовать.

О чем думал Кирилл, неизвестно, но поглядывал на меня с лукавой улыбкой, и я вдруг поняла, что моим словам он верит так же мало, как я его.

На этот раз развлекать нас решили под открытым небом. В парке соорудили эстраду, вокруг поставили столики, на них призывно горели свечи, накрытые стеклянными колпачками от ветра. Жара спала, ветерок с моря был насыщен влагой и создавал иллюзию прохлады.

Кирилл ждал меня, прогуливаясь по аллее.

— Потрясающе выглядите, — заявил он, идя мне навстречу.

— Сколько раз за последние пару дней вы произносили эту фразу? — усмехнулась я.

— Много, — с готовностью улыбнулся он. — Но вам ее говорить приятно, потому что это сущая правда. Вы так хороши, что я готов пересмотреть некоторые свои принципы.

— Не стоит, — покачала я головой, а он засмеялся.

— Знать бы, почему я вам так упорно не нравлюсь?

— Просто я не люблю жертвы. Ни свои, ни чужие.

Он предложил мне руку, и мы вместе вышли на освещенное пространство. Собралась вся вчерашняя публика, что неудивительно — занять себя по вечерам здесь нечем. Конечно, можно отправиться в город, но большинству, как и мне, о городе даже думать не хотелось, однако привычка к светской жизни заставляла извлекать из шкафа вечернее платье или костюм и бог весть зачем сбиваться кучей, вместо того чтобы спокойно сидеть на своем балконе и разглядывать звезды.

Наше появление не осталось незамеченным. На

лицах появились улыбки, прошел легкий шепоток. Надо полагать, общественность пришла к выводу, что у нас роман. Кириллу это вроде бы льстило, мне было все равно. А вот Регине все равно не было. Заметив нас, она так зыркнула тщательно подведенными глазами, что впору было провалиться сквозь землю. Впрочем, теперь Региной ее называть не стоило, раз выяснилось, что она не тот человек, под чьим именем явилась, но мне было проще называть ее по-прежнему.

Регина сменила красное платье на ярко-желтое и выглядела голливудской дивой, я покосилась на Кирилла, от всего этого великолепия он в восторг не пришел и только ухмылялся, а девица, забыв про приличия, откровенно пожирала его глазами.

— Если так пойдет дальше, к концу вечера она вас проглотит, — съязвила я.

— Подавится, — усмехнулся он, — но выглядит неплохо. Правда?

— Желтое ей к лицу. Хорошая фигура. А физиономия мне не нравится, — стараясь быть объективной, изложила я свою точку зрения.

— Скорее не физиономия, а ее выражение, — с готовностью развил Кирилл тему. — Девица изображает даму из общества, но бьюсь об заклад, последним местом ее работы была улица, причем не из дорогих. Оттого в лице нахальство пополам с неуверенностью. То ли пряник дадут, то ли пинка под зад.

— Представляю, сколько добрых чувств родилось бы в ее душе, услышь она эти слова.

— Думаю, и сейчас в ее душе добрых чувств ко

мне не много, скорее досада, что я увлекся вами и на нее не обращаю внимания.

Я кивнула, соглашаясь.

В этот момент Регина решительно направилась к нам.

— Добрый вечер, — сказала с намеком на отчаяние. Я поздоровалась, а Кирилл улыбнулся, привстал и поцеловал ей руку. Она вспыхнула и заговорила с волнением: — Я вас искала на пляже. Знаете, я ни разу в жизни не пробовала кататься на этой доске... забыла, как она называется.

— Вы хотели, чтобы я вас научил? — мило осведомился Кирилл.

— А вы умеете?

— Боюсь, я не слишком ловок для этого. В моем возрасте переходят на менее опасные виды спорта.

— Поэтому вас и не было на пляже? — спросила девица, по-прежнему косясь на меня.

— Мы купались, но, должно быть, как-то с вами разминулись. Кстати, вы незнакомы? Софья Павловна... Регина Петровна.

Мы дружно кивнули. Регина собралась что-то сказать, но тут нас всех призвали к вниманию. На эстраде появился фокусник и принялся демонстрировать свои трюки. Фокусы я никогда не любила, но должна была признать, что этот очень ловок. Кирилл некоторое время понаблюдал за ним и вдруг нахмурился. Пытаясь понять, в чем дело, я пригляделась повнимательнее. Фокусник был одет во фрак и неизменный цилиндр. Лицо выбелено, брови подведены дугой, рот как у Рыжего клоуна. Чем больше я на него смотрела, тем беспокойнее становилось на душе, было в нем что-то неправильное. Человек в маске клоуна просто обязан быть добряком, по крайней мере к этому я привыкла с детства, однако эта физиономия могла быть какой угодно, но только не доброй. Мужчину было сложно представить без грима, казалось, смой с него белила, и под ними ничего не окажется. Мысли глупые, но именно они пришли мне в голову, пока я старательно следила за фокусником. Пальцы его мне понравились, тонкие, нежные и очень ловкие. Продемонстрировав номер с картами, он раскланялся и удалился. На смену ему выскочили две танцевальные пары. Регина неподалеку пила шампанское в компании толстяка и с тоской поглядывала на Кирилла. Тот, казалось, вовсе забыл про нее, взгляд его был сосредоточенным, хмурым и обращен в пространство, однако уже через минуту он улыбался, а я в который раз решила, что все не так просто в этом мире: что-то вокруг меня происходит, вот еще бы понять, что именно?

Регина, оставив толстяка, вновь направилась к нам, а рядом со мной оказались молодая женщина с лысым мужчиной лет на двадцать ее старше.

— Вы, наверное, меня не помните, — с улыбкой сказала она. — Мы вместе летели в самолете. А это мой муж.

Я изобразила бурную радость и принялась увлеченно болтать о чем попало, наблюдая краем глаза, как Регина увлекает Кирилла подальше от эстрады, шел он охотно и вообще на несчастного не походил, но вдруг метнулся к блондинке неопределенного возраста, которая над чем-то громко хохотала; он начал ей что-то рассказывать, и Регина опять осталась с носом. Я продолжала болтовню с парой из Москвы, сколько хватило сил, встретилась взглядом с Кириллом, и он мне подмигнул. Я, придумав предлог, переместилась к компании, с усердием поглощавшей шампанское, и вновь обратила внимание на Регину. Она стояла за чертой света в профиль ко мне, кому-то кивнула и заспешила в боковую аллею, а я неторопливо последовала за ней. Здесь фонари не горели, и я едва не налетела на девушку, точнее, я бы непременно наткнулась на нее, если б не услышала голос и не замерла как вкопанная.

— Какого черта, — прорычал кто-то впереди меня. Мужчина говорил шепотом, но даже так чувствовалось, что он страшно зол.

Я стояла, прикидывая, как лучше поступить, остаться здесь, рискуя обратить на себя внимание, или укрыться в кустах. Передвигаться бесшумно я не умею, и меня наверняка услышат. Я так и не решила, что делать, когда Регина ответила:

— Ты же видишь, ничего не получается.

— Ничего не получается, — передразнил мужчина, Регина испуганно перебила:

— Он догадался, он все понял. И послал эту девицу. Она не отходит от него ни на шаг. Ты же видел.

— Я вижу, что ты ведешь себя, как последняя дура. Почему он до сих пор не в твоей постели?

— Но я же... — взмолилась она, но договорить он не дал.

— У тебя всего один вечер. Или сегодня, или...

Послышался шорох, потом все стихло. Регина шумно вздохнула, потом заплакала. Девушка была слишком занята своими переживаниями, и это позволило мне покинуть аллею. Я припустилась к отдыхающим, торопливо огляделась. Как будто все на месте. Мне было очень интересно, с кем говорила Регина. Лица гостей казались слегка утомленными и совершенно банальными, не похоже, чтобы кто-то шарил по кустам минуту назад и зловещим шепотом отдавал приказания. Рядом появилась Альбина Степановна, улыбаясь мне.

— Вам понравилось наше представление? — спросила заискивающе.

— Да. Особенно фокусник. Откуда он?

— Честно говоря, не знаю, — со вздохом ответила она, всерьез расстроившись, она была из тех людей, которым просто необходимо знать ответы на все вопросы. — У нас договор с местной филармонией, — начала она объяснять, пока я продолжала оглядываться.

— Да? Очень интересно. Сегодня все гости собрались?

— Да, все. Вы знаете...

— Одного я не вижу, — не очень вежливо перебила я. Альбина выглядела заинтересованной.

— В самом деле? Кого же?

— Молодой человек по имени Александр, — улыбнулась я. Вчера, заметив его, Регина здорово перепугалась, а сегодня кто-то командирским голосом говорил с ней в аллее, логично предположить, что это мой ночной знакомый Александр, который любит возникать из темноты, и каждый раз неожиданно.

— Александр? — вроде бы удивилась Альбина Степановна. — У нас их четверо в настоящий момент и все здесь.

— Вы уверены?

Она добросовестно оглядела гостей и вновь кивнула:

— Ну, да, все здесь.

— Выходит, он меня обманул и его зовут как-то иначе, — хихикнула я, а доблестная администратор посмотрела с укором.

— Здесь все, кто остановился в отеле, — начала она, но я покачала головой.

— Он вчера был на фуршете. Высокий, светлые волосы, одет в джинсы, футболку и шлепанцы.

Лицо Альбины Степановны медленно вытянулось.

— В джинсах? — не поверила она. — Вчера на фуршете?

Теперь я начала чувствовать себя неуверенно, точно сморозила глупость. Но не мог же он мне пригрезиться?

— Он появился ближе к концу вечера, — пояснила я. — Я думала, вы его видели. Постоял возле балюстрады и исчез.

— В джинсах, вы говорите? Может, кто-то из сотрудников? Я проверю и приму меры. Надеюсь, он...

— Все в порядке, — заверила я. — Такой забавный парень. Я просто надеялась увидеться с ним еще раз.

— Идемте, — вдруг позвала она и даже взяла меня за руку.

— Куда? — удивилась я.

— Поищем вашего парня. — И, пока я в недоумении оглядывалась, пояснила: — По компьютеру.

Воистину, ее желание услужить клиентам не знало границ. Я с готовностью кивнула, и мы направились к центральному корпусу, по дороге Альбина Степановна меня просвещала:

— Сейчас еще не сезон, отдыхающих немного, в прошлом августе здесь было столпотворение, но я помню всех, — с достоинством заявила она. Восхищаясь ее необыкновенными способностями, я трусила рядом.

Мы вошли в холл, где, кроме администратора, скучающего за стойкой, и швейцара возле двери, никого не было.

— Я вижу, вы подружились с Кириллом Петровичем, — заметила Альбина, я кивнула:

— Он оказался очень милым. Постоянно меня смешит.

— Я редко ошибаюсь в людях. По-моему, он порядочный человек.

— Да-да, — поспешила я согласиться, боясь, что Альбина забудет, за какой такой надобностью мы сюда пришли, но она никогда ничего не забывала, достала из кармана ключ, открыла кабинет, вошла первой и включила свет. Так как я уже была здесь сегодня, обстановка у меня любопытства не вызвала, я прошла к компьютеру, но вовремя вспомнила, что я в гостях, и замерла неподалеку от стола. Альбина включила компьютер, предложила мне сесть и спросила с некоторым недоверием:

— Так вы познакомились с этим Александром на вчерашней вечеринке?

— На вечеринке я просто обратила на него внимание, а познакомились мы позднее, я отправилась прогуляться, мы встретились, и он меня проводил.

— Ума не приложу, кто это мог быть. Если кто-то из обслуги... — Она покосилась на меня, должно быть, мысль о том, что я не смогу отличить мужчину из общества от парня из персонала гостиницы, показалась ей кощунственной, она слабо кашлянула и замолчала.

Через десять минут я смогла убедиться, что память у Альбины и впрямь исключительная. Среди гостей действительно было четверо мужчин по имени Александр и ни один не похож на моего знакомого. Заметив разочарование на моей физиономии, Альбина дала мне возможность взглянуть на фото всех гостей мужского пола, а затем и на фотографии работников отеля. Нужного мне Александра среди них не оказалось. У Альбины сей факт вызвал недоумение, оставив меня совершенно спокойной. Похоже, таинственные появления и не менее таинственные исчезновения — одно из любимых развлечений здешней публики.

— Откуда он мог взяться? — удивилась Альбина, когда стало ясно, что среди персонала парня тоже нет, должно быть, ей не терпелось воздать наглецу по заслугам, и вдруг такое невезение.

— Понятия не имею, — пожала я плечами, она

взглянула на меня, и выражение ее глаз изменилось, теперь в них читалось подозрение. А что, если эта ведьма даст себе труд взглянуть на фото в моем паспорте? Я имею в виду, внимательно взглянуть. Не приходя в восторг от данной мысли, я поблагодарила неутомимого труженика и шагнула из кабинета. Она замешкалась, может, выключала компьютер, а может, в самом деле решила проверить.

Я шла к эстраде в крайней досаде, общеизвестная истина — не суй нос в чужие дела, себе дороже. Дался мне этот Александр. Правильнее всего послать и Александра, и лже-Регину, и шулера Кирилла как можно дальше и отдыхать в свое удовольствие. «А еще лучше сменить отель, — подсказала я самой себе и твердо вознамерилась так и поступить. — Завтра утром обзвоню отели на побережье и, если найдется приличный номер...»

— Помогите, — услышала я совсем рядом и вздрогнула от неожиданности. Голос был слабым, и в первый момент я решила, что ослышалась. — Помогите, — вновь позвали из темноты, и сомнения меня покинули. В припадке беспримерной отваги я шагнула в темную аллею, где не так давно шпионила за Региной, обо что-то споткнулась и полетела на землю, едва успев выставить вперед руки. Я лежала на земле, стуча зубами от страха, с трудом приподнялась, глаза к тому моменту уже привыкли к темноте, я повернула голову и наконец сообразила, обо что споткнулась. Рядом лежала женщина, желтое платье в темноте казалось очень светлым. Женщина застонала.

Глаза Регины были открыты, слабый свет с трудом достигал этого места, а я поразилась мертвенной бледности ее лица, затем взгляд мой скользнул ниже, ее руки были сцеплены на животе.

— Что с вами? — с перепугу очень громко спросила я. Взгляд ее приобрел осмысленное выражение, она заговорила с хрипом, но слова я смогла разобрать, хоть и произнесла она их очень тихо.

— Это ты, — вполне отчетливо сказала она. — Сука...

Я дернулась как от удара, пытаясь понять, что происходит, голова Регины запрокинулась, она вздохнула и затихла, я в страхе отстранилась, задела рукой ее руку и едва не закричала, почувствовав ладонью рукоять ножа, испугалась, что сделала ей больно, но она даже не пошевелилась.

Девушка у моих ног лежала вытянувшись, запрокинув голову, обеими руками держась за живот, в который кто-то всадил нож по самую рукоять.

— Не может быть, — пробормотала я первое, что пришло в голову.

Регина ничего не ответила, я позвала ее, безрезультатно. Конечно, будь я в другом состоянии, наверное бы, сообразила, что она мертва. Но мне в тот момент это казалось величайшей нелепостью, ведь она только что говорила со мной, узнала меня, высказалась очень недипломатично, выходит, считала меня в чем-то виноватой. В чем?

В тот момент об убийстве я даже не думала, ситуация казалась чудовищно нелепой. Пытаясь соблазнить Кирилла и не преуспев в этом, Регина взяла да и всадила нож себе в живот, а потом испугалась и попросила о помощи? Возможно, это годилось для какой-нибудь мелодрамы, но в реальной жизни не вызывало ничего, кроме недоумения.

Я попятилась и вскоре оказалась на освещенном пространстве, приготовилась заорать, но крик замер на моих губах, потому что я увидела свои ладони. Они были в крови, так же как и платье. На нежно-голубом шелке кровь выглядела особенно зловеще.

— Боже мой, — ахнула я и беспомощно огляделась. Сейчас соберутся люди, а я в таком виде... Я вновь попятилась, но теперь в темноту аллеи, а потом побежала. Я бежала, не разбирая дороги, думая лишь о том, чтобы стянуть с себя платье и принять душ. Совсем рядом играла музыка, кто-то смеялся, а я, миновав аллею, оказалась в трех шагах от своего корпуса и торопливо огляделась. Ни души. Но это вовсе не значило, что меня никто не увидит. А если увидит, в окровавленном платье и с руками в крови, пробирающейся к своему номеру? Если бы меня обнаружили рядом с Региной, я могла бы рассказать правду, а теперь кто мне поверит?

Насмерть перепуганная, я под прикрытием темноты бросилась к морю, с разбегу упала в воду и вскоре понемногу пришла в себя, поднялась и вышла на берег. Руки были чистыми, а платье липло к телу, так что сразу не разберешь, есть на нем пятна или нет. «Я спятила, — с тоской решила я. — Я все делаю неправильно». Я нашла свои туфли, которые валялись на берегу, обулась и заревела с досады. Вдруг Регину уже нашли, а теперь ищут меня? Я подняла голову туда, где горели фонарики и слышался смех. Не похоже, что гостей что-то беспокоит. Надо вернуться в номер, а рано утром уехать.

Мне хотелось сбежать прямо сейчас, я знала, что это как раз то, что ни в коем случае нельзя допустить, но ничего поделать с собой не могла.

Отчаянно зарыдав, я направилась к своему корпусу, но выйти на освещенное пространство побоялась, стояла в тени деревьев, дав себе слово на счет три выскользнуть из укрытия, и успела сосчитать до ста, когда услышала шаги. Кто-то торопливо шел по аллее, и уже через минуту я увидела Кирилла, он приближался, что-то насвистывая. Вне всякого сомнения, он шел ко мне в номер, должно быть, удивляясь моему долгому отсутствию.

— Кирилл, — позвала я, он остановился, оглянулся и нахмурился, потому что меня не увидел. Я рискнула покинуть укрытие, и физиономия его вытянулась.

— Это вы? — спросил он с сомнением.

— Разумеется, я, — ответила я со злостью, хотя с какой стати мне на него злиться, выгляжу я, должно быть, так, что на нормального человека сразу нападет икота.

— Точно вы, — кивнул он, — хотя поверить трудно. Вы выпили лишнего и свалились в бассейн? Впрочем, я бы непременно заметил.

— Кажется, ее убили, — зашептала я, очень хотелось, чтобы кому-то стало так же скверно, как и мне, впрочем, Кириллу-то что за дело до всего этого? По крайней мере, перестанет скалить зубы. — Или она сама себя убила. Хотя это невероятно глупо.

Кирилл шагнул ко мне, обнял за плечи и сказал ласково:

— Вам надо выспаться. Идемте, я провожу.

— Я нашла ее в аллее, — зашептала я, — с ножом в животе. Я упала прямо на нее, испачкала руки и платье. Я испугалась.

— Что? — без выражения спросил Кирилл, а я растерялась.

— Мои руки и платье были в крови, неужели не понимаете?

— Если честно, не очень. Так кого вы нашли?

— Регину. Она лежит там...

— Вы нашли Регину с ножом в животе и не закричали, не позвали на помощь?

— Нет.

— Ага, — кивнул он, а я испугалась.

— Послушайте...

— Вот что, дорогая, вам надо пройти в номер и переодеться. А потом мы решим, что делать дальше.

Я молча кивнула и пошла за ним. Он взял у меня ключ, открыл дверь, я вошла и без сил повалилась на диван.

— Понимаю ваше состояние, — наливая мне коньяк в рюмку, сказал Кирилл, — но мне хотелось бы знать...

— Конечно, — взяв предложенную рюмку из его рук, согласилась я. — Я все расскажу. — И рассказала.

Рассказ занял несколько минут, в продолжение которых Кирилл разглядывал меня, сидя в кресле напротив.

— Идиотская история, — вынес он вердикт. — Не находите?

— Вы же не думаете, что это я... — Я запнулась и с трудом продолжила: — Что я каким-то образом...

— Если бы я мог придумать причину, по которой женщина вроде вас способна всадить нож в живот другой женщине... Слушайте, а вы уверены, что вам все это не привиделось?

— Вы что, издеваетесь? — не выдержала я.

— Хорошо, хорошо. Оставайтесь здесь, а я проверю.

— Говорю, она лежит там.

— Очень хорошо. Я только взгляну...

Я вынуждена была согласиться. Как большинство женщин, я при первой возможности старалась переложить свои проблемы на чужие плечи. Кирилл поднялся.

— Я запру вас, ключ возьму с собой. Примите ванну и успокойтесь. Не думаю, что моя прогулка займет много времени.

Он ушел, а я стянула с себя платье и тщательно его рассмотрела. Конечно, пятна остались. Я скомкала его и зашвырнула в угол, заревела с досады, а потом пошла в ванную, так как чем занять себя до возвращения Кирилла, все равно не знала. Не успела я включить воду, как хлопнула дверь, а затем в ванную постучали. Завернувшись в полотенце, я выглянула, Кирилл взирал на меня осуждающе.

— Какого черта вы все это выдумали? — после непродолжительной паузы спросил он.

— Что? — растерялась я.

— Всю эту дурацкую историю?

— Регина жива? — спросила я с надеждой.

— Регину я не видел, — поумерив пыл, заявил он. — Но никакого трупа в аллее нет. Я там все обшарил.

— Возможно...

— Она встала и ушла куда-нибудь, — подсказал он. — И в самом деле, ночи прохладные, можно простудиться.

— Не вижу в этом ничего смешного. А если девушку уже нашли?

— Если б ее нашли, здесь начался бы переполох. А народ потихоньку расходится, и похоже, что их ничто не беспокоит. Сознайтесь, вы все это выдумали?

— Вы спятили, — не выдержала я. — Хорошо, пойдемте вместе. — Никуда идти мне не хотелось, но слова Кирилла меня задели, я достала платье из шкафа и быстро переоделась в спальне. Он встретил меня вежливой улыбкой. — Мы идем? — спросила я.

— Разумеется.

Мы покинули корпус, никого не встретив, я машинально оглянулась и нашла окна номера, который занимала Регина. В них горел свет. Кто-то приблизился к окну, тень легла на штору...

— Не может быть, — пролепетала я. Кирилл тоже остановился, проследил мой взгляд и вдруг хмыкнул:

— Будет забавно, если мы завтра увидим Регину под номером 3.

Хоть он и пытался острить, было заметно, что такой поворот событий его вряд ли удивит. С этими

Регинами в самом деле что-то не так. Не могло же мне привидеться, что она лежит там с ножом в животе? Она со мной говорила, и руки ее, когда я их коснулась, были теплые. А что, если это глупая шутка? Она разозлилась на меня из-за Кирилла и в отместку...

— Сумасшедшая, — пробормотала я, но Кирилл услышал.

— Скорее всего, так и есть, если мы думаем об одном и том же...

Между тем мы вошли в аллею, и в руках Кирилла появился фонарик. Он включил его, а я сказала:

— Вы очень предусмотрительный человек.

— С моей профессией этому учишься очень быстро.

Свет фонаря вырвал из темноты ближайшие кусты, траву, дорожку, выложенную плиткой. Конечно, Регины здесь не было. К тому моменту это уже не удивляло. Я попробовала сориентироваться и уверенно шагнула вправо.

— Посветите сюда, — попросила тихо. — Если все это мне не приснилось... — Я не успела договорить, что-то щелкнуло, и ноги мне обдало теплой водой, включили установку полива.

— Если была кровь, — заметил Кирилл, — то к утру ничего не останется.

Я беспомощно огляделась и кивнула, в голосе Кирилла слышалось удовлетворение, а я знать не знала, пугаться мне или радоваться.

— Я думаю, нам лучше всего вернуться в номер, — предложил он. — Шарить в темноте по кустам — занятие не из приятных.

К тому моменту стало ясно, ничего мы здесь не найдем, то есть я имела в виду нечто совершенно определенное, но даже мысленно не решалась произнести это слово.

— Идемте, — позвал Кирилл, убрал фонарик и взял меня за руку. Я покорно побрела следом.

Свет в номере Регины уже не горел.

— Может быть, зайти к ней? — предложила я.

— Зачем? — удивился Кирилл.

— Чтобы убедиться...

— Дорогая, вы, кажется, уверяли меня, что видели труп. — Слово было произнесено, и я невольно поежилась.

— Видела...

— Да-да, помню. Она лежала, обхватив руками живот, в котором торчал нож. Так в чем вы хотите убедиться?

— Послушайте, я понимаю, как все глупо, но вдруг... вдруг это розыгрыш...

— И что вы сделаете?

— Я ее убью, — с чувством сказала я.

— Еще раз? Я пошутил, — развел он руками. — И незачем на меня так смотреть. Согласен, шутка так себе... Что-то вы очень бледны. Идемте ко мне в номер...

— Спасибо, — перебила я. — Чем скорее я окажусь в своей постели, тем лучше.

— Вы уверены... — начал Кирилл, но я вновь перебила:

— Уверена.

— Только не вздумайте посетить Регину, — сказал он очень серьезно. — Вокруг этой дамы что-то происходит, стоит ли вмешиваться?

Кирилл намеревался подняться ко мне, но я не позволила.

— Ей-богу, я просто хотел убедиться, что с вами все в порядке, — с намеком на обиду заверил он, и мы простились.

Я поднялась на второй этаж, вставила ключ в замок и покосилась на дверь номера Регины. Искушение было слишком велико. Я быстро подошла и постучала. Послышались шаги, потом голос хрипло спросил:

— Кто?

— Простите, — пролепетала я, — это ваша соседка...

— Вы спятили, — недовольно заявили из-за двери, и все стихло.

Принадлежит голос Регине или нет, я сказать не могла, я не была даже уверена, что это женский голос, постояла в замешательстве и направилась к своей двери, бормоча:

— Сумасшедший дом.

Открыла дверь, сделала несколько шагов и нащупала выключатель.

Дверь за моей спиной захлопнулась, и в следующий миг что-то с силой обрушилось на мою голову. Однако за полсекунды до этого я заметила тень, испуганно дернулась, и удар, как видно, прошел по касательной, я вскрикнула от боли и рухнула, чувствуя, как по шее стекает что-то теплое, сознания не теряла, но в целях самосохранения предпочла на это никак не намекать: если кому-то необходимо, чтобы я валялась без чувств, то глупо с моей стороны его разочаровывать.

Некто очень тихо прошел вперед и включил в гостиной свет, я лежала лицом вниз, боясь вздохнуть, а уж тем более шевельнуться, и сквозь ресницы видела только ноги, обутые в мужские замшевые ботинки. Через мгновение стало ясно: мужчин двое, второй присел рядом со мной и спросил недовольно:

— Ты ее не грохнул случайно? Мне не нравится ее затылок.

— Очухается, — зло ответили ему из гостиной. — Эта сука убила Вику.

— Может, не она, может, тот тип.

— Смеешься? Он бы пришил сразу. Это она, я уверен.

— Ты же сам сказал, на Вике был корсет, и это смягчило удар, оттого...

— Это она ее убила, — прошипел тот, что в замшевых ботинках.

— Хорошо, если тебе так хочется. Чем спорить, лучше обыщи ее. Если он ей что-то передал, она носит это при себе.

— Конечно, передал. Ты же сам нашел в сливном бачке...

— В сливном бачке я нашел порванную банкноту, из чего становится ясно, что она здесь не случайно. Выходит, Витька не доверял своей девке и решил подстраховаться.

— Или кто-то оказался умнее нашего умника и послал эту сучку. Ты, наконец, обыщешь девчонку?

Тот, что сидел рядом со мной, рывком перевернул меня и принялся обыскивать, голова моя пришла в соприкосновение с полом, я не удержалась и вскрикнула.

— Жива, — зло заметил парень.

— Очень хорошо, — ответил второй. — Если у нее ничего не окажется, а она вдруг отправится в лучший мир, я тебе не завидую. Детка, — позвал он, — открой глазки.

Притворяться больше не было смысла, я покорно открыла глаза и увидела лица двух мужчин, склоненные надо мной. Ни того, ни другого я никогда раньше не встречала.

— Привет, — сказал тот, что стоял в моих ногах, и улыбнулся.

— Кто вы? — испугалась я.

— Не вздумай дурака валять, сука, — зашипел второй, он сидел слева от меня на корточках. — Говори, что он тебе передал?

— Кто? Что передал?

Лицо его исказилось злобой, я испугалась, что он меня ударит, и зажмурилась.

— Прекрати, — вступился за меня другой. — Ты пробил ей голову, а теперь ведешь себя, как придурок.

— Она убила Вику.

— Вы что, сумасшедшие? — не выдержала я. — Какую Вику? С какой стати мне кого-то убивать? Объясните, что происходит?

— Это ты зря, — вздохнул мой недавний заступник. — Ты красивая девчонка и, скорее всего, действительно ее не убивала. Мне всегда нравились блондинки, и я не хочу делать тебе больно, поэтому давай перейдем к делу. Что тебе передал Красавчик?

— Красавчик? — растерялась я, посоветовав себе соображать быстрее. — Это Кирилл?

— Хорошо, Кирилл, — кивнул парень. — Ну, так где это? У тебя? Или успела спрятать?

— Слушайте, тут какое-то недоразумение. Он мне ничего...

— Вот видишь, — обрадовался его приятель, — она не желает говорить.

— Скажет, — кивнул тот убежденно. — Все говорят, кого я спрашиваю. Значит, по-хорошему не хочешь? — поинтересовался он.

— Позвольте мне все объяснить, — взмолилась я.

— Лучше скажи, что тебе передал Красавчик, и отдай это нам. Тогда мы исчезнем из твоей жизни, как дурной сон.

— Но он мне ничего не передавал. Это правда. Вы можете не верить, но это правда.

Они переглянулись, и первый удовлетворенно заметил:

— Что я говорил?

Второй извлек из кармана половинку банкноты достоинством в один доллар.

— Вот это ты видишь? — спросил с намеком на печаль.

— Вижу, — вынуждена была признать я. А что оставалось делать, если он тряс ею перед моим носом.

— Мы нашли это в сливном бачке в твоем туалете, аккуратно упакованную. Должен заметить, тайник не очень оригинальный. Будешь и дальше дурака валять или скажешь?

— При чем здесь какая-то банкнота в моем сливном бачке? Мало ли кто мог ее туда положить.

— Ну ты даешь, — покачал головой парень. — На что ты надеешься? Надо уметь проигрывать, детка, лучше тебе меня не злить. В самом деле лучше.

Он приступил к обыску. Ранее ничему подобному мне подвергаться не приходилось, и впечатление произвело такое, что я буквально лишилась дара речи. Когда все закончилось, я смогла открыть глаза, краснея от стыда, и перевела дух. Руки я держала за головой, как велел парень, и теперь они были в крови, что здорово испугало. Что там с моим затылком?

— Ты прелесть, — заявил он. — Тебе повезло. Господь дал тебе все. Я бы назвал это совершенной красотой. Подумай, что от нее останется, если я разозлюсь? Мне бы очень не хотелось, но работа есть работа, ты же понимаешь...

— Клянусь, он ничего мне не передавал, — до смерти перепугавшись, взмолилась я.

— Она врет, — заверил мой недруг. Впрочем, и второй моим другом тоже не являлся, теперь я даже не могла ответить, кого боюсь больше, того, что обвинял меня в убийстве неведомой Вики, или того, что говорил со мной вкрадчиво и даже ласково. Хотелось побыстрее скончаться, так и не выяснив, какой смысл он вкладывал в глагол «спрашивать».

В дверь тихо постучали, я вздрогнула, а потом обрадовалась, но, как оказалось, напрасно. Первый поднялся, приоткрыл дверь, и в номер вошел еще один тип. Его я узнала сразу, это он встретил Регину в день приезда, до смерти ее напугав. С неудовольствием взглянув на меня, он спросил:

— Ну, что?

— При ней ничего.

Мужчина прошел, присел на корточки, я к тому времени с молчаливого согласия двух типов смогла привалиться к стене, но так стало даже хуже, голова кружилась, и тошнота наворачивалась.

— Где? — спросил он отрывисто и наотмашь ударил меня по лицу. Я вскрикнула, заслоняясь рукой, он отвел мою руку и вновь повторил: — Где?

Я посоветовала себе лишиться сознания, только вот никак не получалось. Реальность продолжала радовать и дальше обещала быть еще красочнее. А мне что делать? На вопрос «где?» я могла ответить лишь «что?», но чувствовала, что лучше этот вопрос не задавать, но что-то я должна была ответить, оттого и промямлила:

— Он мне ничего не передавал.

Мужчина закусил губу, глядя куда-то себе под ноги, пожал плечами:

— Мог заподозрить неладное. Кто тебя послал? — вновь обратился он ко мне.

— Это все чистая случайность. Я просто познакомилась с Региной, в тот первый день, еще до ее встречи с вами.

Он посмотрел внимательнее.

— А банкнота? — спросил, немного помедлив.

— Должно быть, Регина спрятала ее у меня. Она приходила и была в ванной, мыла руки.

— А вдруг это правда? — спросил «ласковый» тип с дурными глазами, все трое переглянулись. — Что будем делать? — задал он очередной вопрос. Тот, что пришел последним, выпрямился.

— В любом случае, оставлять ее здесь нельзя. — Он шагнул к двери. — Все должно быть тихо, — напомнил, понижая голос и взявшись за ручку двери. — Жду возле лодки. — И вышел, закрыв за собой дверь. Один из парней поднял меня и подвинул ногой одежду.

— Одевайся.

Я наклонилась за платьем и застонала.

— Я тебе помогу, — обрадовался «ласковый» тип, подхватил платье и стал его натягивать на меня, подмигнул и заявил: — У нас будет время познакомиться поближе.

Нет слов, как это меня порадовало. Чувствовалось, что знакомство будет непродолжительным, но бурным, однако я нашла в себе силы сказать:

— Спасибо, — взглянув на него с благодарностью, с трудом в себе обнаруженной. Могу поклясться, он едва не прослезился. Взгляд его затуманился, а физиономия приобрела мечтательное выражение. Тот, что злился на меня за неведомую Вику, взглянул хмуро и сообщил доверительно:

— Не завидую тебе. Этот если заведется... — Он ткнул дружка кулаком в бок и буркнул: — А ты кончай слюной исходить. — Он вновь повернулся ко мне. — Веди себя прилично, попробуешь орать, я тебе твои кишки на коленку намотаю.

«Оптимистично», — подумала я, вслед за ним выходя из номера, однако идти, как овца на закланье, не собиралась, перспективы вырисовывались не радужные, так отчего не попробовать и в самом деле заорать?

Однако злобный тип одними угрозами не ограничился, он подхватил меня левой рукой за талию, а в его правой руке появился нож, который незамедлительно уперся мне в бок, по выражению глаз моего конвоира без труда можно было догадаться: он с удовольствием пустит его в ход, был бы предлог, кричать мне сразу же расхотелось. «Ласковый» шел впереди, оглядываясь и всякий раз подмигивая мне, когда наши взгляды встречались. Диагноз я ему уже поставила и теперь с тоской думала о том, что путь наш когда-то закончится и мы куда-то придем... Напрягать фантазию не хотелось, ясно, что моей за его не угнаться, я мысленно пожелала им обоим провалиться ко всем чертям, но это не помогло, что, впрочем, и не удивило.

Между тем мы приблизились к аллее, «ласковый» еще раз огляделся, шепнул:

— Быстрее. — И растворился в темноте.

Так как один из похитителей говорил, что будет ждать нас у лодки, я решила, что мы направимся к пляжу, и то, что мы сейчас двинулись в противоположном направлении, слегка озадачило. Вдруг раздался странный звук, точно пискнул слишком большой комар, мой страж замер, нож болезненно уперся мне в бок, а он позвал тихо:

— Эй... Что там?

Отвечать ему не спешили, он принялся оглядываться, рука на моей талии ослабла, я толкнула его, острая боль в боку заставила меня вскрикнуть, я шарахнулась в кусты, и это было моей ошибкой, здесь он без труда меня поймает. Он бы и поймал, но тут что-то хлопнуло в трех шагах от меня, и парень рухнул к моим ногам.

— Черт-те что, — только и смогла произнести я.

В призрачном свете, доходящем сюда от фонаря возле корпуса, на аллее возник мой спаситель. Само собой, без спасителя в моем положении никак, и слава богу, что явился он вовремя, и я ничуть не удивилась, узнав в нем Кирилла.

— С вами все в порядке, дорогая? — спросил он, приближаясь.

— Не знаю, что вы называете порядком, — возмутилась я. — Может, объясните, что все это значит?

Тут я перевела взгляд на парня, неподвижно лежащего у моих ног, и наконец начала соображать, а как только сообразила, почувствовала настоятельную потребность заорать во все горло, что и вознамерилась осуществить. Угадав мои намерения, Кирилл стиснул мне рот правой рукой, в левой я увидела пистолет с глушителем и вновь попыталась лишиться сознания. Не тут-то было. В старые времена барышням это легко удавалось. Может, начать носить корсет, буду падать в обморок как по заказу.

Почувствовав, что кричать я просто не в состоянии, Кирилл разжал пальцы, а я, слегка присев, произнесла фразу, от которой любая барышня наверняка бы сгорела со стыда:

— Мне надо в туалет.

Он развел руки в стороны.

— Ради бога.

Я бросилась в кусты, понося на чем свет стоит Кирилла, неизвестных придурков и свое невезение.

— Дорогая, вы скоро? — позвал Кирилл.

— Да подите вы к черту, — ответила я.

— Может, нужна помощь?

Данная реплика способствовала скорейшему приходу в себя, и я отважно шагнула на аллею.

— Вы его убили, — зашипела я, не придумав ничего умнее.

— Вы предпочли бы скончаться сами? — спросил он со смешком, но тут же посерьезнел. — Где третий?

— Сказал, что будет ждать возле лодки. — Соображала я не то чтобы плохо, скорее пребывала в недоумении и просто отвечала на вопросы, хотя у меня накопились свои, но стало ясно: с ними придется подождать.

— Идемте, — позвал он и взял меня за руку.

Мы пошли по аллее, через несколько метров я заметила темное пятно на плитке, которой была выложена дорожка. Конечно, понять, что это, было нетрудно, но я предпочла не понимать и только шарахнулась в сторону, боясь случайно заметить очередной труп.

— Они доставили вам много беспокойства? — спросил Кирилл, вопрос звучал скорее как утверждение.

— Один из них обещал мне нечто незабываемое.

— И ему можно верить. У парня впечатляющий послужной список. Садист и психопат.

— О, господи, — простонала я, — так это ваши друзья? Какого черта они привязались ко мне?

— Дорогая, вы не перестаете меня удивлять, — ответил он, чем, в свою очередь, удивил меня. Его послушать, так я должна что-то понимать во всей этой галиматье, а я ничегошеньки не понимала и только поражалась, как умудрилась вляпаться во все это. Я собралась продолжить диалог, но Кирилл с улыбкой заметил: — У нас еще будет время. Меня беспокоит их дружок. Если он уйдет, спокойной жизни нам не видать.

В этом я была с ним согласна, наверное, по этой причине отнеслась к делу с душой, оттого и спросила:

— Куда мы идем? Он ведь говорил про лодку, значит, где-то на пляже...

— Нет, — покачал головой Кирилл, ускоряя шаг. — Пляж — открытое место, и там может быть сторож. Они бы не стали рисковать. Нам следует поторопиться.

Я уже и так неслась во весь опор, от каблуков было слишком много шума, туфли пришлось снять, но босиком по ночам мне бегать не приходилось, и я уже несколько раз споткнулась, да так, что слезы навернулись.

— Потерпите, дорогая, — шепнул Кирилл, все еще держа меня за руку. Мне хотелось огрызнуться, но я сдержалась, к тому же иные мысли начали одолевать. Я наконец поняла, куда так спешит Кирилл, впереди темной массой возникло строение, рядом пролом в ограде, туда мы и направились.

Стоило нам покинуть территорию отеля, как Кирилл заметно насторожился, выпустил мою руку и пошел впереди, то и дело прислушиваясь. Я старалась ступать бесшумно и вообще не дышать.

Тропинка была каменистой, и теперь все мои усилия были направлены на то, чтобы не свернуть себе шею. Идти здесь босиком было немыслимо, а в туфлях на каблуках равносильно самоубийству, одно было хорошо: ни на что другое ни мыслей, ни чувств уже не хватало. Я просто шла, стараясь не потерять Кирилла из вида.

Пройдя метров сто, он замер и сделал мне знак остановиться, я с трудом перевела дух, потом приблизилась и выглянула из-за его спины. Мы стояли, укрывшись за большим валуном, впереди под звездным небом плескалось море. Ночь была темной, но света хватало, чтобы заметить лодку, она плавно покачивалась в нескольких метрах от берега. Ни в лодке, ни на берегу никого не видно.

— Ждите здесь, — шепнул Кирилл, прижавшись губами к моему уху. Он не стал сразу спускаться к берегу, направился в обход и вскоре растворился в темноте.

Я привалилась спиной к валуну и закрыла глаза. Было очень тихо, лишь волны ласково омывали берег, этот шум быстро стал привычным и тишины, казалось, уже не нарушал. Я подтянула колени к животу, обхватила их руками и поклялась, что думать ни о чем не буду, пусть весь мир катится к чертям. Меня хватило минут на десять, после чего я встала на колени и робко выглянула. Берег был пуст, если не считать покачивающейся на волнах лодки.

— Куда он делся? — пробормотала я, имея в виду Кирилла.

Прошло еще минут двадцать, впрочем, может, и не двадцать, ожидание становилось непереносимым, я не знала, что делать, может, вернуться в отель? Ждать здесь? Чего ждать? Слева послышался шорох, а потом и голос:

— Не пугайтесь, дорогая, это я. — Кирилл вынырнул из темноты и устроился рядом со мной на корточках. — Ушел, — сказал с досадой.

— Тот человек? — спросила я, хотя могла бы не спрашивать.

— Черт бы его побрал. — Теперь в голосе Кирилла слышалась злость, он плюнул в сердцах, хотя подобный жест явно не вязался с избранным им образом.

— Что теперь? — поинтересовалась я, происходящее основательно выбило меня из колеи, и соображала я по-прежнему не очень.

— Надо убрать трупы, — заявил Кирилл. — Скоро рассвет, придется поторопиться.

— Но... — начала я с легким заиканием, Кирилл перебил:

— Сожалею, дорогая, но вам придется мне помочь.

— Да с какой стати? — не выдержала я и поднялась вслед за ним, ответом он не удостоил, но взял меня за руку, может, боялся, что в темноте я расквашу себе нос, а может, опасался, что я попытаюсь удрать. Мне в самом деле очень этого хотелось. Бежать со всех ног... вопрос куда? В молчании мы вернулись в отель.

Тишину нарушал лишь шум воды из поливальной установки, выходит, никто не обратил внимание на то, что ночная жизнь здесь весьма насыщенная.

Мы вступили в аллею, где оставили трупы. Сердце у меня замерло, я ожидала чего угодно, стражей порядка, которые вдруг появятся из кустов и защелкнут наручники на моих руках, или что трупы вдруг исчезнут сами собой, второй вариант, кстати, очень бы меня устроил, но трупы не исчезли, в этом я смогла убедиться очень скоро. Тяжко вздохнув, я спросила:

— Что мы будем с ними делать?

С моей точки зрения, с ними вовсе ничего делать не надо, пусть их найдет кто-то другой и голову ломает, как они тут очутились, однако к тому моменту уже было ясно, я в этой истории по самые уши и отсидеться в сторонке не получится.

— Придется перетащить их в лодку, — сообщил Кирилл, как видно, и у него возня с трупами ни малейшего энтузиазма не вызывала. Он ухватил ближайшего парня за ворот джинсовой куртки и поволок по аллее. — Идите вперед, — скомандовал тихо. — Не ровен час, вынесет кого-нибудь навстречу.

С сильно бьющимся сердцем я отправилась выполнять приказ, хотя понятия не имела, какой от меня толк, если и вывернет кто навстречу, так сделать я все равно ничего не смогу, разве что только заорать. Через несколько минут мне пришлось помочь Кириллу, аллея кончилась, тащить труп волоком по тропинке было затруднительно, и я ухватила его за ноги. В обморок не хлопнулась лишь по одной причине: мало что соображала.

Наконец показался сарай и пролом в стене. Мы вынесли парня и положили в ближайших кустах.

— Надо вернуться за вторым, — сказал Кирилл, и мы рысью устремились к аллее.

Второй парень оказался намного тяжелее, или силы мои были на исходе, но, когда мы подтащили его к кустам, я с трудом смогла отдышаться, повалилась в траву, раскинув руки, однако Кирилл передохнуть не позволил.

— Дорогая, у нас нет времени.

Небо начало светлеть, и это придало мне необходимое ускорение. Вызывало беспокойство вот что: если третий тип где-то по соседству... ничто не мешает ему застать нас врасплох.

Кирилл либо вовсе об этом не думал из-за усталости или по недомыслию, либо по какой-то причине был уверен, что парень сбежал, в общем, особого беспокойства не проявлял. Наконец оба трупа оказались на берегу между камнями.

— Оставайтесь здесь, — шепнул он.

— А вы?

— Надо вымыть плиты в аллее, если там останется кровь... — Он начал быстро удаляться, а я на четвереньках перебралась подальше от трупов и спряталась за валуном.

Лодка продолжала плавно покачиваться, небо светлеть, а я клацала зубами. Происходящее было настолько нелепым, невероятным, невозможным, что я понятия не имела, как себя вести.

«Господи, ну зачем я сюда приехала?» — горько сетовала я, и это единственное, на что я была способна в тот момент.

Кирилл вернулся очень быстро. Самобичевание еще не достигло своей рекордной отметки, когда я услышала шаги, а потом увидела его силуэт.

— Как дела? — спросил он, хотя мог бы не спрашивать.

— А вы как думаете? — не удержалась я.

— Все не так плохо, — хмыкнул он, а я вновь съязвила:

— Да неужели?

— Конечно. Плохо — если б вместо этих двоих лежали мы, бездыханные.

— Конечно, это аргумент, но я хотела бы знать...

— Надо перетащить их в лодку, — не дал он мне договорить.

Делом это оказалось нелегким и заняло довольно много времени. Когда мы смогли их загрузить, Кирилл, придерживая бок лодки, скомандовал:

— Забирайтесь.

— Зачем? — перепугалась я.

— Дорогая, мы не можем оставить здесь трупы. Их обнаружат уже сегодня, и возникнут вопросы. Не уверен, что вы захотите отвечать на них.

— А если нас поймают с таким грузом? — ужаснулась я.

— Тогда вопросов не избежать, — заметил он философски, — но пока ведь не поймали.

В общем, я забралась в лодку, а Кирилл достал весла, хотя лодка была моторной.

— Лишний шум нам ни к чему, — пояснил он.

Мы начали поспешно удаляться. Когда прибрежная полоса стала едва различимой, Кирилл сменил курс, теперь мы двигались вдоль берега.

— Не пора ли нам от них избавиться? — нервничала я.

— Терпение, дорогая.

Мне казалось, прошло очень много времени, прежде чем он убрал весла и завел мотор.

— Отойдем подальше от отеля, — крикнул Кирилл.

От брызг, поднятых лодкой, я промокла, к тому же ночь выдалась прохладной, поначалу я этого не почувствовала, а теперь замерзла, сидела на носу, обхватив себя руками, Кирилл снял пиджак и перебросил мне.

— Спасибо, — кивнула я и поплотнее запахнулась.

Меня начало клонить в сон, казалось, никакие силы не заставят меня сделать лишнее движение, я исчерпала лимит прочности за эту ночь.

Совершенно неожиданно мотор заглох, неожиданно для меня, потому что я уже задремала.

— Что случилось? — спросила я испуганно.

— Пора, — ответил он. — Помогите мне.

Несмотря на твердую убежденность, что я и шага не сделаю, я весьма проворно поднялась с места. Глухой удар об воду, всплеск и тишина. Я старалась не смотреть за борт. Лодку раскачивало, Кирилл сидел на корме, выждал минут пять, затем сказал:

— Порядок. — И вновь завел мотор.

— Мы возвращаемся? — спросила я.

— Разумеется.

Однако в отель мы вернулись далеко не сразу. Я сидела, сжавшись под пиджаком, и клевала носом, пока кое-что не привлекло внимание: мерцающие огоньки освещали пирс, чуть дальше темное пятно лодочной станции. Вне всякого сомнения, мы проплывали мимо отеля.

— Разве... — начала я, Кирилл ответил громко, перекрикивая шум мотора:

— Пройдем чуть дальше, надо спрятать лодку.

В серых сумерках мы наконец достигли суши. Я выбралась из лодки, едва не рухнув в воду, Кирилл вовремя меня поддержал, вытянул лодку на берег. Поначалу я удивилась: мы ведь хотели от нее избавиться, а потом забеспокоилась: суша оказалась каменистым островком.

— Послушайте... — испуганно заговорила я, а он насмешливо улыбнулся:

— Слушаю вас очень внимательно, дорогая.

— Почему мы не вернулись в отель?

— Для начала я хотел бы кое-что узнать.

— Что? — еще больше перепугалась я, потому что его поведение не сулило ничего хорошего. «Господи, какая же я дура, — запоздало решила я. — Он убил двоих людей, что ему помешает убить меня как ненужного свидетеля? Странно, что такая мысль не пришла мне в голову гораздо раньше, ведь могла бы сообразить». — Я здесь совершенно ни при чем, — торопливо произнесла я, прекрасно понимая, как глупо и беспомощно это звучит.

— Дорогая, вы заставили меня поволноваться, — с максимальными удобствами устраиваясь на валуне, сказал Кирилл. — Какого черта вы не назвали пароль? Ведь я дважды... — Как видно, у меня сделалось такое выражение лица, что Кирилл поперхнулся, а я почувствовала, как тело категорически отказывается мне повиноваться. Я замерла, выпрямив спину и уставившись прямо перед собой, не в силах даже вздохнуть, да и было с чего лишиться всех чувств: мало мне трупов, теперь еще и пароль. — Кто вас послал? — спросил Кирилл, хмуро меня разглядывая.

— Это какое-то недоразумение, — начала я, сообразила, что сегодня уже произносила данную фразу, и заревела от жалости к себе.

— Дорогая, я понимаю ваше стремление придать нашему разговору необходимую задушевность, но у нас просто нет времени на эти дамские штучки, потому спрашиваю вторично: кто вас послал? И рассчитываю, что вы ответите быстро и ясно. — С этими словами он извлек на свет божий пистолет и ненавязчиво мне его продемонстрировал.

— Боже мой, — ахнула я и в который раз за эту ночь вознамерилась рухнуть в обморок, убедилась, что опять ничего не выйдет, поклялась носить корсеты и со вздохом продолжила: — Вы можете мне не поверить, но я абсолютно ничего не понимаю.

— Занятно, — хмыкнул Кирилл, достал из кармана пресловутую половинку банкноты в один доллар. — Это принадлежит вам? — Должно быть, он обыскал парней и нашел эту штуку.

— Затрудняюсь ответить одним словом, — посоветовав себе быть очень убедительной, сказала я. — До сегодняшней ночи я ее не видела. Но мне ее уже успели продемонстрировать те самые молодые люди, с которыми не так давно мы расстались. Они обнаружили ее в сливном бачке в моем номере и несли страшную чепуху, смысл которой до меня так и не дошел, сильно разгневались и обещали мучительную кончину. Я поверила, но ничего объяснить не могла, потому что действительно ничего не знаю.

— Чем дальше, тем забавней, — произнес Кирилл, однако я не была уверена, что он поверил. — И как вы объясните наличие половины банкноты в вашем сливном бачке?

— Я думаю, ее туда спрятала Регина. Она заходила ко мне в номер, я предложила ей выпить, и она пошла вымыть руки. Думаю, пришла она как раз для того, чтобы спрятать эту вещь там, где, как ей казалось, ее искать не будут. Нас ведь ничто не связывало. А враги у нее, как выяснилось, были.

— Допустим. Но когда я заговорил с вами на фуршете, вы ответили правильно. Вам что, это тоже Регина подсказала?

Я приоткрыла рот и с минуту стояла так, собираясь с мыслями.

— Что ответила? — не придумав ничего умнее, поинтересовалась я.

— Я спросил вас о морской прогулке.

— Да, спросили, — согласно кивнула я. — И что?

Он смотрел и хмурился, вдруг захохотал.

— Черт, неужели совпадение? Не могу поверить.

Дорогая, вы ответили первую часть пароля, но не пожелали продолжить и не предъявили банкноту.

— Да я знать ничего не знаю, — возмутилась я, забыв об осторожности.

— Невероятно, — продолжал он хихикать, покачивая головой. — Я должен был встретиться с блондинкой, среднего роста, стройной, с хорошей фигурой, светлыми глазами, которая будет отдыхать в одиночестве и ответит на мои ухаживания.

— Согласна, я блондинка, рост подходящий, на фигуру не жалуюсь, глаза светлые, возможно, вы решили, что и на ухаживания я ответила, хотя в реальности я пыталась от вас избавиться... Кирилл Петрович, — вздохнула я, — я же рассказала вам о Регине...

— Я помню, дорогая. Я был уверен, что-то у ваших не заладилось и вас послали для подстраховки, Регина исчезла, а вы пытались предупредить меня об опасности. И откровенничать не спешили, потому что происходящее вам не нравилось и вы проявляли осторожность. Оттого, дав понять, кто вы, предпочли не раскрывать всех карт.

— Вас послушать, так я такая умная, — не выдержала я.

— Уверяю, теперь вы можете быть со мной откровенны. — Он достал из кармана вторую половину банкноты и сложил их вместе, используя валун в качестве стола. Само собой, две половинки подошли идеально.

— Здорово, — сказала я с печалью. — Только понятнее мне не стало.

— Дорогая, я уважаю ваше желание быть осторожной, но вы перебарщиваете.

Мне пришло в голову, что лучше бы с ним согласиться, для собственной безопасности. Сказал он слишком много для того, чтобы мы разошлись спокойно и без претензий, то есть с моей стороны ни о каких претензиях речи нет, мне бы только ноги унести, но Кирилл наверняка другого мнения, а место здесь глухое... Беда в том, что на вранье далеко не уедешь, когда знать не знаешь, в чем тут дело. Ясно, что ничего хорошего, от всех этих паролей и прочих шпионских штучек меня в дрожь бросало. Прикинув и так, и эдак, я сказала:

— Кирилл Петрович, клянусь вам, я ничего не понимаю. Все, о чем вы говорите, какое-то чудовищное недоразумение. Я боюсь спрашивать, что происходит, чтобы не узнать лишнего. Я сегодня же уеду, и вы больше никогда не услышите обо мне. Разумеется, я уже забыла про какой-то пароль, банкноту и прочее. Вы же понимаете, не в моих интересах вспоминать об этом. В Уголовном кодексе я не сильна, но особого ума не надо, чтобы сообразить: я помогла вам избавиться от трупов, следовательно, являюсь соучастницей убийства. Я не планирую провести несколько лет в тюрьме и буду держать язык за зубами. Можете не сомневаться.

Минут пять он молча меня разглядывал, я боялась пошевелиться, прекрасно понимая, что от его решения зависит моя жизнь.

— Возможно, я бы поверил в это невероятное нагромождение совпадений, — задумчиво сообщил он, — если бы не еще одно обстоятельство. Впрочем, всему есть объяснения... Я хочу выслушать ваш подробный рассказ о себе. Момент рождения можете упустить, а все остальное, пожалуйста, подробно.

Я торопливо рассказала свою биографию, особенно не увлекаясь, ничего интересного я в ней не находила, надеюсь, и он не нашел, затем перешла к событиям двухдневной давности, подробно остановившись на каждом эпизоде.

Рассвет застал нас за довольно странным занятием: двое взрослых людей сидят друг против друга на клочке суши среди бескрайнего простора, ритмично клацают зубами от холода и сверлят друг друга взглядами, пытаясь что-то обнаружить. Надеюсь, мой взгляд был предельно честен, по крайней мере, я очень на это рассчитывала.

— Даже не знаю, что вам сказать, дорогая, — наконец изрек Кирилл. — Своим рассказом вы поставили меня в весьма затруднительное положение. У меня есть половинка банкноты, но нет курьера, — внезапно засмеялся он. — И, кажется, я понятия не имею, что делать дальше.

— Ничем не могу помочь, — кашлянув, отозвалась я и добавила: — Вы меня отпустите?

— Не смешите, дорогая, — сказал он. — Не так вы глупы, чтобы поверить...

— Вы не производите впечатление психопата, который способен застрелить женщину просто так, ни за что ни про что. — «Не очень удачно, — тоскливо подумала я. — Это для меня ни за что ни про что, а с его точки зрения все иначе». — Я хотела сказать...

— Я понял, — кивнул он. — Разумеется, у меня и в мыслях нет вас пристрелить. Те двое — совсем другое дело, у меня просто не было выхода, не мог же я им позволить увезти вас.

— Спасибо, — брякнула я, немного некстати.

— Пожалуйста, — усмехнулся он. — Хотя теперь выясняется, что старался я напрасно, они бы увезли вас и потеряли уйму времени, пока наконец убедились бы, что тянут пустышку. — Я невольно поежилась, представив, как они убеждались бы в этом. — Но что сделано, то сделано, — хлопнув себя ладонью по колену, вздохнул Кирилл. — Я не в силах устоять перед вашей красотой.

«Так я тебе и поверю», — мысленно хмыкнула я, но сидела, навострив уши, с благодарной физиономией ожидая продолжения.

— Значит, так, дорогая, вам придется некоторое время провести в моем обществе. Сейчас я не могу сказать, как долго это продлится, но, во всяком случае, до тех самых пор, пока я не разберусь в происходящем и не приму решение. Само собой, ваша безопасность всецело зависит от вашего благоразумия. И не рассчитывайте, что сможете сбежать. Предупреждаю сразу: это глупо и бесперспективно. Но если вы предпримете такую попытку, я буду вынужден поступить не по-джентльменски по отношению к вам.

«Да не тяни ты, придурок, — мысленно скривилась я, продолжая сохранять постную мину. — Ясно как день, попробую дернуться — и ты меня пристрелишь. Тех двоих ухлопал легко и непринужденно, чувствуется, навык есть, а красота еще ни для кого не была серьезным препятствием. Господи, что ж так не везет-то...»

— Это первое, — не спеша говорил Кирилл. — Теперь второе. Так как нам некоторое время предстоит проводить в обществе друг друга, я ожидаю от вас не только благоразумия, но и понимания. Вы будете делать все, что я скажу, без вопросов и ненужных обсуждений.

— Я сделаю все, что скажете, — заверила я, в настоящий момент я могла пообещать хоть луну с неба, лишь бы выбраться отсюда.

— Отлично, — усмехнулся он. — Значит, так, сейчас мы возвращаемся в отель. Вы соберете свои вещи, а затем вещи Регины. Переоденетесь в ее платье, сдадите ее номер и на такси покинете отель. Отправитесь в аэропорт, там я вас встречу, и вы вновь вернетесь в отель и освободите свой номер.

— Хорошо, — кивнула я, не желая дискутировать. Глупо начинать дело с пререканий, особенно когда в его руках пистолет.

— Отлично, значит, возвращаемся.

Он поднялся, и я поднялась, и тут выяснилось, что у меня проблема, самая что ни на есть банальная, но ее надо было как-то решать.

— Идите к лодке, — попросила я, — я вас догоню.

— В чем дело, дорогая? — нахмурился он, сразу став очень подозрительным. Я тяжко вздохнула.

— Дело в том, что я хочу в туалет.

— Может, вам стоит показаться врачу? — съязвил он.

«Врач бы не понадобился, растворись ты в тумане, — зло подумала я и добавила: — Козел». Сразу стало легче, морально, я имею в виду. К лодке он не пошел, стоял и ждал, поглядывая на меня. Чертыхаясь, правда, почти не слышно, я полезла за валун, кляня и этот островок, и рассвет, и свою невезучесть.

Нога моя скользнула по мокрому камню, я приземлилась на довольно острый край валуна и едва не заревела с досады, затем приподнялась и смогла убедиться, что устроиться здесь нет никакой возможности, потому что этот мерзавец отлично меня видит. Конечно, он мог бы отвернуться, но рассчитывать на это не приходилось. Стеная и охая, я спустилась чуть ниже, расставив руки и балансируя, точно канатоходец. господи, это когда-нибудь кончится? Мои страдания, я имею в виду? Тут я перепугалась, что господь может понять меня превратно и прекратит их самым радикальным способом. «Нет, я лучше еще помучаюсь», — поспешила заверить я и в тот же миг увидела подходящую расселину. Радуясь хоть какой-то удаче, я спустилась еще ниже и тут... удача, что называется, поперла по полной программе. Сначала я обратила внимание, как что-то блеснуло из-под камня. Как всякую сороку, меня тянуло на блестящее, и я сунула свой длинный нос к проклятущим камням, длинный в переносном смысле, но лучше б он неожиданно вытянулся, чем такое счастье. Под камнем лежало кольцо. Конечно, камень я приподняла, и выяснилось, что кольцо не само по себе, оно надето на безымянный палец женской руки. Говорю женской, потому что кольцо было женским, а вот сама рука... темная, со вздутыми пальцами.

— Мамочка, — сказала я жалобно и наконец-то грохнулась в обморок.

— Надо бы показать вас врачу, — сказал Кирилл, ощупывая мою голову. — Рана серьезнее, чем я думал. Как вы себя чувствуете?

— Лучше не спрашивайте, — буркнула я.

Я сидела в лодке, в нескольких метрах от островка, и старалась даже не смотреть в ту сторону. В лодке нашлась пластиковая бутылка с водой, ее Кирилл и вылил мне на голову, приводя в чувство, а теперь разглядывал мой многострадальный затылок.

— Почему вы не сказали, что эти типы ударили вас по голове? — спросил Кирилл.

— Я думала, вы заметили. К тому же эта ночь настолько сумасшедшая, я, честно говоря, совсем забыла.

— Мне не нравится ваша рана, может быть сотрясение.

— Отпустите мою голову, — не выдержала я. — Хуже, чем есть, уже не будет. Вы... вы видели? — спросила я помедлив.

— Регину? — уточнил он.

— Там Регина?

— Думаю, обе.

— Что? — Я вроде бы начала заикаться, что неудивительно, учитывая обстоятельства.

— Там две женщины, одна из них Регина, которую знаю я, с ножевым ранением в области живота. Спокойно, дорогая, обещаю, больше никаких подробностей. Вторую задушили, логично предположить, что это тоже Регина. Она здесь пробыла дольше, судя по ее виду, так что все сходится.

— Но... как они оказались здесь? — продолжала я выпытывать, хотя лучше было бы помолчать, услышанного и без того достаточно, чтобы снова плюхнуться в обморок.

— Лодка, — пожал плечами Кирилл.

— Но я не понимаю...

— Эти типы, так же как и мы, не заинтересованы в том, чтобы на происходящее в отеле обратила внимание милиция.

— Но кто убил женщин?

— Логично предположить, что с первой Региной разделались наши друзья и подсунули нам вторую. Со второй сложнее. Я не ясновидящий. — Тут он так посмотрел на меня, что у меня мурашки пошли по коже.

— Надеюсь, вы не думаете, что я... о, господи, да как вам это в голову пришло? — Злость, как известно, дурной советчик, и я забыла про осторожность. — Что, если это вы убили ее? Ведь я вам рассказала, что она не настоящая Регина.

— Я ее не убивал, — просто ответил он.

— Я вам не верю.

— Тем хуже для вас, — флегматично пожал он плечами.

— В каком смысле? Боже, кто вы? — додумалась спросить я, вот уж ума-то нет, молчала бы лучше.

— Я так много о себе рассказывал...

— Чушь. Что это за шулер, который... — Тут я, наконец, заткнулась и испуганно поерзала под его взглядом.

— Дорогая, пришла пора определиться. Чего вы хотите: удовлетворить свое любопытство или жить долго и счастливо?

— Вы лучше меня знаете ответ.

— Тогда попридержите свой язычок.

Он завел мотор и направил лодку к берегу. Берег возник из утреннего тумана неожиданно быстро, мотор заглох, Кирилл выбрался из лодки и помог выбраться мне. Местность я не узнавала, но, наученная горьким опытом, скромно помалкивала: должно быть, он знает, куда идет.

Мы поднялись по каменистому берегу, здесь уже было светло как днем, и я увидела справа от нас отель. До него не больше полукилометра.

— Вы помните, что надо делать?

— Помню. У меня вопрос: как я попаду в комнату Регины?

— Если бы все проблемы решались так же просто...

Я только плечами пожала. Со стороны пляжа мы прошли к моему корпусу. Было тихо, отдыхающие спали и видели сны, персонал еще не появился. Кирилл шел рядом, вместе со мной поднялся на второй этаж.

Оказавшись возле номера Регины, он для начала повернул ручку. Дверь, как по волшебству, открылась. Меня это почему-то напугало, а Кирилла явно насторожило. Он распахнул дверь пошире и сказал:

— Входите первой.

«Разумно», — мысленно фыркнула я. Женщин следует пропускать вперед. Говорят, эта похвальная традиция родилась в незапамятные времена, когда наши далекие предки проявляли интерес к пещерам. Так как к ним проявляли интерес и такие милые существа, как саблезубые тигры, жертвовать приходилось более слабым. В данном случае мной. И ведь не поспоришь.

Моя многострадальная голова на эти мысли отозвалась болью, еще одного удара она может и не выдержать. Но удара не последовало. Я вошла в гостиную, каждое мгновение ожидая нападения. В номере царил полумрак, плотные шторы были задернуты, работал кондиционер, здесь было прохладно, если не сказать холодно, хотя, может, меня трясло от страха, а не от холода. Кирилл прошелся по номеру, везде включая свет.

— Поторопитесь, дорогая, — сурово напомнил он, я кинулась собирать вещи Регины. Чемодан обнаружился в шкафу, Кирилл положил его на кровать, а я побросала туда все, что смогла найти в номере из ее вещей. Кирилл щелкнул запорами и еще раз огляделся. Ключ от номера лежал на журнальном столике вместе с карточкой гостя.

— Предусмотрительно, — хмыкнул он и повернулся ко мне. — Отправляйтесь в душ. Я могу вам помочь, рана на голове...

— Спасибо, — торопливо ответила я и вошла в ванную. Кровотечения не было, но выглядела я ужасно. Стало так жаль себя, что я заревела. Кирилл постучал в запертую дверь.

— Дорогая, у нас совсем нет времени.

Я вышла, завернувшись в полотенце. Кирилл указал мне на платье Регины, специально оставленное на постели.

— Переодевайтесь. Ваше платье выброшу где-нибудь по дороге. Все равно оно уже ни на что не годно.

С этим было трудно не согласиться. Платье Регины было чуть великовато, впрочем, Кирилл прав, вряд ли на это обратят внимание. Я подошла к зеркалу, подкрасила губы помадой Регины, собрала волосы в пучок на затылке, как это делала она, повязала ее шарф и надела ее солнцезащитные очки.

— А ведь в самом деле похожи, — довольно рассмеялся Кирилл. Признавать его правоту не хотелось, и я оставила замечание без ответа. — Встречаемся в аэропорту, — напомнил Кирилл, я кивнула, с сомнением глядя на него.

Девушка за стойкой администратора выглядела сонной.

— Я уезжаю, — коротко сообщила я, протянув ей ключи и карточку гостя. Она натянуто улыбнулась, позвонила по телефону, затем зашуршала какими-то бумагами. Странно, но я вела себя совершенно спокойно, хотя за несколько минут до этого была убеждена, что начну трястись как осиновый лист, бледнеть и заикаться.

— Вам вызвать такси? — спросила девушка.

— Будьте любезны, — отозвалась я, расплачиваясь по счету, шампанское в номер, еще какая-то ерунда, хорошо, что в сумке Регины, которую я тоже вынуждена была взять, нашлись деньги.

Я поблагодарила и направилась к двери, швейцар подхватил мой чемодан и пошел вперед. Пока мы спускались по ступенькам, подъехало такси.

— В аэропорт, — сказала я, откинула голову на спинку сиденья и закрыла глаза. Невероятно, но я задремала, должно быть, сказалась бессонная ночь, в себя пришла, только когда остановилась машина.

Я расплатилась, вышла и едва не забыла про чемодан, хорошо, что про него вспомнил водитель. Несмотря на ранний час, в аэропорту было многолюдно, не зная, что делать дальше, я направилась к кассам и увидела Кирилла. Он сидел в гордом одиночестве и листал журнал. Заметив меня, поднялся навстречу.

— Рад вас видеть, дорогая.

— Как вы... — начала я, но махнула рукой. — Впрочем, это не мое дело.

— Чемодан оставьте здесь, возьмите сумку. — Он достал ее из-под сиденья. — И переоденьтесь в туалете. У вас пять минут.

Я покорно побрела в туалет, заперлась в кабинке, открыла сумку. Шорты, майка, шляпка, между прочим, мои собственные. Хотя, чему тут удивляться?

Я быстро переоделась, сунула вещи Регины в

сумку и вышла. Две женщины, которые мыли руки, на меня даже не взглянули. Кирилл все еще листал журнал.

— Вы очаровательны, — сказал с дурацкой улыбкой. — Загорелые блондинки выглядят очень сексуально.

— Свежая мысль, — съязвила я.

— Чего вы злитесь, дорогая? — вроде бы вполне искренне удивился он.

— Что дальше? — вздохнула я, не желая затевать ненужную перепалку. Он легко подхватил чемодан.

— Идемте. Мы влюбленная парочка, которая встретилась после долгой разлуки. Добавьте жара во взгляд, дорогая, вы счастливы.

Очень хотелось, чтобы он заткнулся, я демонстративно нацепила очки и широко улыбнулась.

— Так нормально?

— Божественно.

Мы вышли из аэропорта, и он уверенно направился к стоянке машин. Старенькие «Жигули» выглядели так, точно перенесли три аварии.

— Что это? — не сдержалась я.

— Прошу меня извинить, это все, что удалось раздобыть в короткий временной промежуток.

— Но вы ведь ее не угнали? Только этого мне не хватало.

— Я — карточный шулер, а не вор.

— Не вижу разницы, — не удержалась я, садясь в машину, если он и разозлился, то вида не подал, улыбка держалась на его физиономии как приклеенная. Хоть я и ожидала, что машина на ближайшем повороте непременно рассыпется, бегала она сносно.

Мы быстро покинули город и свернули на проселочную дорогу. Начался подъем, мы ехали в горы. Я терялась в догадках, то есть догадки были, но одна другой страшнее, и я решила не давать волю фантазии.

Мы опять свернули, через несколько метров дорога неожиданно кончилась. Впереди был виноградник, справа лес. Впрочем, лес сильно сказано, склон зарос густым кустарником, довольно высоким и по виду совершенно непролазным. Кирилл вышел из машины и достал чемодан, отбросил его в сторону, вернулся к машине. Я не сразу поняла, что он делает, а когда сообразила, испугалась еще больше. Он слил бензин из бака, воспользовавшись шлангом и ведром, которые нашлись в багажнике, и развел костер. Облитый бензином чемодан горел споро. Платье Регины и сумка тоже полетели в костер. Я наблюдала за всем этим в глубокой задумчивости. Страх вдруг оставил меня, и пришло решение, простое и ясное. Его я и намеревалась осуществить, если, конечно, останусь жива.

Костер потух, Кирилл закидал пепелище камнями и вернулся в машину. Разговорчивость его покинула и улыбка исчезла, как видно, невеселые думы одолевали.

Мы спустились той же дорогой и направились к морю. Если он не убил меня в горах, значит, вовсе не хотел убивать, в отеле это хлопотнее. Намучаешься с моим трупом. Я невольно поежилась. Мы вновь свернули на проселочную дорогу, впереди показалось строение, с виду нежилое, и Кирилл остановился.

— Приехали, — сообщил лаконично.

— Что это? — насторожилась я.

— Понятия не имею. Но отсюда мы пойдем пешком.

Я опять-таки безропотно повиновалась, Кирилл взял меня за руку, как видно, мысль изображать влюбленных его не оставила.

Море то являлось нашим очам, то исчезало, мы шли по тропинке, пока я не увидела наш отель.

— Мы могли доехать на автобусе, — буркнула я, сообразив, что мы сделали изрядный крюк, и это при том, что я еле двигала ногами.

— Не могли. Это азы предосторожности, дорогая. Устали? — спросил он неожиданно мягко.

— Только не надо делать вид, что вас это волнует.

— Меня это волнует. По возможности, я хотел бы избавить вас от лишних неудобств.

— Очень мило.

— Не язвите. Вам не к лицу.

— А вам не к лицу... — Язык я все-таки прикусила, он наградил меня насмешливой улыбкой.

— Если так пойдет дальше, мы очень скоро окажемся в одной постели, — заявил он.

— Мне трудно это представить.

— На самом деле нет. Я вас не возбуждаю?

— Заткнитесь, ради бога, — не выдержала я. — Четыре трупа за одну ночь не способствуют возникновению у меня сексуального влечения.

— Только это вас и оправдывает, — порадовал

он. — Ничего, вы очень быстро придете в себя. Я уверен.

— На что это вы намекаете? — всполошилась я, он вроде бы растерялся, а я, воспользовавшись этим, сурово добавила: — Больше никаких трупов.

— Как скажете, — дурашливо поклонился он.

— Вы чокнутый, — не сдержалась я, а он добавил самодовольно:

— Но вам нравлюсь.

«Чтоб ты пропал», — поставила я точку в дискуссии, мысленно, конечно.

Мы подошли к отелю со стороны пляжа, отдыхающие принимали солнечные ванны, а мы по аллее направились к ресторану, чтобы позавтракать. Навстречу выпорхнула вездесущая Альбина Степановна.

— Как приятно вас видеть, — защебетала она, переводя взгляд с меня на Кирилла, на мгновение задержавшись на его руке, которая сжимала мою руку, губы ее скривились при этом зрелище, то ли она была шокирована, что крепость, то бишь я, так быстро пала, то ли счастлива до безобразия, что гости развлекаются вовсю. Я ответила улыбкой, над которой ей тоже придется поломать голову. — Собираетесь пойти на пляж?

— Для начала позавтракаем. Мы встали сегодня поздно, — добавил Кирилл с таким видом, что у Альбины не осталось сомнений, как мы провели эту ночь. Оказывается, дама была пуританкой, ее слегка перекосило, она натянуто улыбнулась и заспешила по своим делам, что-то пробормотав на прощание.

— Это было так необходимо? — спросила я.

— Что? — удивился он, хотя, конечно, все понял, не зря так паршиво ухмылялся. Я отвернулась в досаде, а он сжал мои пальцы. — Дорогая, — сказал насмешливо, — вам не пришло в голову, что на эту ночь нам может понадобиться алиби? Так вот, самое простое: вы провели эту ночь со мной, а я, естественно, с вами. Пока здесь все тихо, по крайней мере не похоже, чтобы нашу дражайшую Альбину Степановну что-то беспокоило. Но если у милиции возникнет интерес завтра, послезавтра, через неделю или через месяц, наши объяснения должны выглядеть так: с вечеринки вы незаметно удалились в свой номер, а я к вам присоединился через пятнадцать минут, просто выждал время, чтобы не привлекать внимание к нашему совместному уходу, соблюдал приличия, так сказать. Соответственно, всю ночь мы провели в вашем номере, утром, скажем, часов в восемь, заглянули ко мне, я переоделся, дабы не смущать граждан вечерним костюмом, выходя от вас на завтрак, после чего мы совершили романтическую прогулку пешком и... — он взглянул на часы, — около десяти пошли завтракать. У вас хорошая память?

— Не жалуюсь, — буркнула я.

— Отлично.

Из всей его речи на меня произвели впечатление только слова о том, что милиция может проявить интерес ко мне через месяц. Выходит, Кирилл Петрович предполагает, что я в тот момент буду жива-здорова, то есть он не планирует свернуть мне шею уже сегодня. Это слегка успокоило, но особой уверенности не принесло.

Мы позавтракали, я с трудом запихнула в себя салат и выпила чашку кофе, Кирилл поел с удовольствием и вообще выглядел прекрасно, ни за что не подумаешь, что ночь напролет он бегал с пистолетом, убил двоих человек и болтался с трупами на моторной лодке. При одной мысли об этом мне сделалось нехорошо.

— Дорогая, держите себя в руках, — взглянув на меня, шепнул он. — Еще совсем немного...

— Я в своем номере, — отбросив салфетку в сторону, сказала я. Он закончил завтрак очень быстро и догнал меня по дороге.

— В чем дело? — спросил сердито.

— Плохо себя чувствую.

Злость из его голоса исчезла.

— Как только покинем отель, покажу вас врачу. Здесь это делать неразумно, придется объяснять...

— Я просто устала. Несколько часов сна — и, возможно, врач не понадобится.

Я надеялась, что он оставит меня в покое, но он вошел в мой номер. Я легла на постель поверх покрывала и закрыла глаза, намекая таким образом, что ему следует убраться ко всем чертям. Он сел рядом и, откинув мои волосы с затылка, еще раз осмотрел рану, я поморщилась, а потом и пискнула. Было неприятно.

— Больно? — спросил он.

— Я хочу спать.

— В двенадцать мы должны покинуть отель.

— Я соберусь за пятнадцать минут. А вы не хотите собрать свои вещи?

— Мне хватит и десяти минут, — усмехнулся он.

«Значит, избавиться от него не удастся, — с отчаянием подумала я. — Он боится, что я сбегу, и не намерен оставлять меня без присмотра». Я лежала, не открывая глаз, и он вытянулся рядом, дышал ровно, возможно, дремал. Должна была эта ночь как-то на нем сказаться. Только вряд ли сон его будет столь крепок, что я смогу незаметно покинуть номер. Мысли в голове путались, и я вдруг точно провалилась в бездонную яму, где не было ни времени, ни чувств, и тут услышала:

— Очень жаль, дорогая, но нам пора.

Я приподняла голову и увидела, что Кирилл стоит возле постели, он успел умыться, причесаться и даже собрал мой чемодан. Я села, потерла лицо руками и с тоской поняла, что тянуть дальше уже невозможно, надо решаться.

— Проводить вас в ванную? — спросил он заботливо, должно быть, выглядела я паршиво.

— Кирилл Петрович, — начала я, — сегодня ночью я была так напугана и... я совершенно не соображала, что делаю. Не могу сказать, что окончательно пришла в себя, но, по крайней мере, способна оценить происходящее, а главное, понять: нельзя усугублять один идиотский поступок следующим идиотским поступком.

— Иными словами, вы отказываетесь ехать со мной? — без всякого выражения спросил он.

— Отказываюсь, — постаравшись, чтобы это прозвучало твердо, заявила я.

— Что это вдруг за вспышка безумной отваги? — поинтересовался он.

— Назовем это отчаянием. Мое положение — хуже не бывает, но, если вы будете настаивать, чтобы я поехала с вами... предпочитаю закончить сегодня и здесь. Если вы намерены меня убить, что ж, вряд ли я смогу оказать достойное сопротивление, хотя орать буду истошно. Опять же, гарантии никакой, что вы не убьете меня через пять минут после того, как мы покинем отель. Опасности для вас я не представляю, я заинтересована в молчании, и если... Я поклянусь хоть на Библии, что эту ночь провела с вами, что, кстати, является правдой. И я точно знаю, что не хочу иметь ничего общего с вашими паролями и всем прочим. Это может завести чересчур далеко, разумнее остановиться, пока не поздно.

— Поздно, — усмехнулся он, а потом и засмеялся: — Вы патриотка?

— Идите к черту, — разозлилась я, вот только насмешек мне и не хватало.

— Нет, серьезно?

— Никогда об этом не думала, но ничего смешного в ваших словах не нахожу.

— Приятно сознавать, что имеешь дело с человеком с моральными устоями и жизненными принципами, — продолжил веселиться он. — Кстати, я тоже патриот, так что Родину люблю. И она у нас с вами одна, это к тому, чтобы вы поняли правильно мои слова. Софья Павловна, — фыркнул он, едва сдерживаясь от смеха, — вы что, в самом деле меня за шпиона приняли?

Мне очень хотелось огреть его чем-то тяжелым: и его тон, и этот смех, вполне искренний, кстати, здорово меня достали. Он запрокинул голову и захохотал так заразительно, что я почувствовала себя дурой.

— А что я должна думать? — сказала я совсем не то, что собиралась. Он перестал смеяться, сел рядом и взял меня за руку.

— Перестаньте, дорогая. Какой из меня шпион? Я — карточный шулер, попавший в затруднительное положение. Меня попросили об одолжении, в сущности, пустяковом, которое неожиданно... впрочем, вы сами знаете. Мы с вами оказались в скверной ситуации. Я хотел бы понять, что происходит, а для этого... Если вы сегодня сбежите, вряд ли останетесь в живых. И дело не во мне. И не надейтесь, что вас спасет то, что вы здесь под чужим именем. Кстати, как вас зовут на самом деле? — Я выдернула свою руку и отвернулась. — И после этого вы хотите, чтобы я вам верил, открыл все карты? Извините, не могу. Оттого и предпочитаю держать вас на глазах. Как видите, у меня целых две причины желать, чтобы вы находились рядом. Первая — ваша безопасность, вторая — моя собственная. Дела такие скверные, что я вам попросту шею сверну, перед тем, как покинуть номер, если вы всерьез начнете упрямиться. Хуже от этого уже не будет. Конечно, я себя имею в виду. Идемте, надеюсь, это последний раз, когда мне пришлось повторяться.

— Кирилл, — позвала я неуверенно.

— Да?

— Но если вы... если вы просто выполняете чье-то поручение, как можете быть уверены, что...

— Девочка моя, вы опять про шпионов? Господи, что за странные мысли приходят вам в голову?

— Но что же тогда?

— Вот это нам и предстоит выяснить.

Через полчаса мы покинули отель. Кирилл вызвал такси, и мы отправились в город, задавать вопросы при постороннем я не могла, оттого просто устроила голову на плече Кирилла и уснула. Я была уверена, что едем мы в аэропорт, хотя Кирилл по этому поводу слова не сказал, бросил таксисту: «В центр» — и на этом успокоился. Я удивилась, когда, открыв глаза, обнаружила себя на узкой улочке, запруженной бестолково снующими гражданами.

— Приехали? — спросила я с испугом.

— Да, дорогая. — Он расплатился, забрал мой чемодан и свою сумку.

— Вы так и не сказали... — начала я, воспользовавшись тем, что мы остались одни.

— Нам в ту сторону, — кивнул он, мы перешли дорогу, разумеется, больше понимать я от этого не стала.

— Куда мы идем? — не выдержала я.

— На стоянку автомашин. Вон она за углом. Видите? — Стоянку я видела, но это опять-таки ничего не объясняло. — Ждите здесь, — поставив сумку и чемодан в тенечке, заявил Кирилл и зашагал дальше налегке.

Я проводила его взглядом, через калитку он вошел на территорию стоянки, направился к будке сторожа и вскоре исчез из поля зрения. «Господи, как я устала», — пожаловалась я неизвестно кому, чувствуя себя так скверно, как никогда в жизни. Ворота открылись и показался черный «БМВ», который через минуту затормозил возле меня, дверь распахнулась, и я увидела Кирилла, он вышел, забросил наши вещи в багажник и помог мне устроиться.

— Ну вот, — сказал удовлетворенно, — теперь можем ехать.

— Куда?

— Дорогая, вы очень хотели спать. Как раз сейчас самое время.

— Нет слов, как я вам благодарна, — сказала я, отворачиваясь, и в самом деле заснула, запретив себе думать.

Дорога заняла больше часа, иногда я открывала глаза и с недоумением оглядывалась, Кирилл каждый раз приговаривал: «Спите», — и я вновь забывалась сном.

Остановились мы в кемпинге, неподалеку от моря. Признаться, я была удивлена, после дорогого отеля это место не казалось особенно привлекательным. Ровный ряд одинаковых домиков, забор, ворота и административное здание из кирпича.

— Приехали, — порадовал Кирилл, я вышла из машины и стала ждать, когда Кирилл оформит документы. На это ушло минут десять. Он вернулся и бодро сообщил: — Наш домик под номером 13. Вы, случаем, не суеверны?

— Нет. Но...

— Дорогая, в домике две комнаты. Ваша честь не пострадает.

Обстановка выглядела довольно убогой. Крохотная кухонька с газовой плитой, две комнаты, в каждой кровать, шкаф и тумбочка, на окнах натянуты сетки от комаров.

— Не бог весть что... — пожал плечами Кирилл и вновь улыбнулся. — Зато есть душ. Вы пойдете первой или...

— Первой, — ответила я.

Душ несколько улучшил мое настроение. Разбирать чемодан я не стала, извлекла пижаму и завалилась спать. Но уснуть не удалось, было жарко, кондиционер отсутствовал, надоедливо жужжали насекомые. Я слышала шум воды из-за двери душевой и ждала, когда появится Кирилл.

— Дорогая, — позвал он минут через двадцать, — вы спите?

— Нет.

— Могу я заглянуть к вам?

Он вошел, машинально постучав по двери костяшками пальцев, хорошее воспитание обязывало.

— Мы здесь надолго? — с места в карьер начала я.

— Как получится. Возможно, несколько часов, а возможно, несколько дней.

— Что, если нам попробовать подыскать жилище получше?

— Сожалею, но это исключено. Поверьте, мне

самому местный сервис не по вкусу, и я прекрасно понимаю, что женщине вроде вас здесь совершенно нечего делать.

— Что мы будем есть эти несколько дней? Или вы рассчитываете, что я возьму на себя заботу о стряпне?

— Так далеко мое нахальство не заходит, — засмеялся он. — Вы — в роли стряпухи... признаться, я сильно сомневаюсь, что вы способны приготовить яичницу. — Я была способна на многое, но разубеждать его не стала. — Здесь неподалеку есть ресторан. Кстати, вы не проголодались?

— Нет, спасибо.

— А как ваша голова?

— Чувствую себя ужасно, и вовсе не из-за этой раны...

— Мы ведь уже обо всем договорились, — поморщился Кирилл. — Разве нет?

— Сядьте, пожалуйста, — попросила я как можно мягче. У него был выбор — либо стул, который представлялся весьма хлипким, либо кровать. Конечно, он сел на кровать, улыбаясь краешком губ. Он побрился, и от него приятно пахло. Вообще он на редкость привлекательный мужчина и хорошо знал это, но в тот момент у меня было одно желание: оказаться как можно дальше от кемпинга, а главное — от самого Кирилла.

— Все никак не можете решиться? — вдруг спросил он.

— О чем вы? — нахмурилась я, не сразу сообразив, что он имеет в виду, а сообразив, пошла красными пятнами. — Ну, вы и нахал...

— Конечно, — закивал он, — у вас даже мысли не было... Кстати, большинство женщин в вашем положении...

— Выметайтесь отсюда, — не выдержала я.

— Дорогая, не злитесь, — попросил он, даже не думая покидать мою комнату. — Я не только не против, я обеими руками «за».

— Я позвала вас совсем по другой причине, — решив, что злость дурной советчик, заговорила я спокойно. — Вы не могли бы... — Я встретилась с ним взглядом, вздохнула и продолжила: — Объяснить, что происходит. Я имею в виду, в общих чертах и самое необходимое.

— Я был убежден, что за этим вы меня и позвали. Правда, я надеялся, что действовать вы будете чисто по-женски. То есть позволите мне оказаться в постели рядом с вами, мы получим взаимное удовольствие, а вот потом вы постараетесь меня разговорить. Это старый проверенный способ, почему бы вам не прибегнуть к нему?

— У меня большие сомнения, что вы разговоритесь, — съязвила я.

— Такое, конечно, возможно, но шанс всегда есть, верно?

— Кирилл Петрович...

— Ради бога, обойдемся без отчества. Я помню, что гожусь вам в отцы...

Я была уверена, что это обстоятельство ничуть его не волновало: он считал себя неотразимым, и вряд ли бы нашелся человек, сумевший его разубедить.

— Кирилл, — предприняла я вторую попытку, — в иных обстоятельствах вы, возможно, были бы мне очень интересны как мужчина, но сейчас не тот случай. Поэтому ни к каким приемам я прибегать не собираюсь, я вас прошу объяснить мне ситуацию в общих чертах. К примеру, почему мы здесь, а не в другом месте, и что нас ожидает в ближайшие дни. Даже если вы считаете, что казачок я засланный и верить в мою искренность не собираетесь, ваш рассказ ничего не изменит, а я, по крайней мере, буду знать, чего ждать от жизни.

— Хорошо, — согласился он неожиданно легко. — Вы знаете, что в отеле я искал встречи с женщиной, у которой будет половинка доллара, идеально подходящая к моей. Если по какой-либо причине встреча не состоится, я должен приехать в этот кемпинг и ждать здесь в течение трех дней. Что и собираюсь делать.

— Вы ждете блондинку с половинкой банкноты? — удивилась я. — Но вы ведь знаете, что Регина...

— Дорогая, я знаю, что Регина в скверном виде пребывает на островке, но я также знаю, что она там в компании еще одной Регины. Бог знает, как много Регин на этом побережье. Мое дело выполнять инструкции. Встреча в отеле не состоялась, ведь она не состоялась? Оттого я здесь. Просто следую инструкциям, все остальное меня не волнует.

— Это правда? — спросила я.

— Конечно, — удивился он.

— А что потом? Если встреча не произойдет, что дальше?

— Я вернусь в начальную точку своего пути.

— И сообщите о том, что случилось? Почему бы это не сделать прямо сейчас?

— Вы ничего не поняли, дорогая.

— Должно быть, я действительно на редкость бестолкова, но если вы должны встретиться с блондинкой, у которой половинка вашей банкноты... ведь обе банкноты теперь у вас, так?

— Да, так, — кивнул Кирилл, — но вы не назвали пароль, следовательно, контакт не состоялся. Теперь ясно?

— Конечно, нет.

— Ничем не могу помочь, — сказал он с усмешкой и тут же добавил весело: — Я и сам не очень понимаю... Будем четко следовать инструкциям, даст бог, что-нибудь и получится.

Я поняла, выспрашивать далее — дело бесперспективное. Либо он сам ничего не знал, либо твердо намеревался хранить свои тайны.

Через час Кирилл позвал меня из своей комнаты, спросил, не хочу ли я пообедать. Я ответила отказом, надеясь, что он уедет один. Но он вроде бы прилег, по крайней мере из его комнаты не доносилось ни звука. Поломав голову над происходящим, я пришла к выводу, что догадок, а также просто светлых мыслей у меня не наблюдается. Лучшее, что я могла сейчас сделать, — это уснуть, но сон, как назло, не шел. Я уже собралась встать и пойти к морю, раз погода к тому располагала, но тут услышала тихие шаги, Кирилл очень осторожно приблизился к моей двери. Я мгновенно зажмурилась, притворившись спящей; дверь была прикрыта не плотно, не входя в комнату, Кирилл некоторое время наблюдал за мной, увиденным, должно быть, остался доволен, затем вновь шаги и тихий шорох в его комнате.

Я очень осторожно поднялась с постели и скользнула к двери, он не потрудился прикрыть ее, а может, не хотел меня разбудить, я выглянула и увидела, как он стоит на коленях возле противоположной стены. Я растерялась, не в силах понять, что он там ищет, и тут заметила, что Кирилл чуть приподнял плинтус (в домике все было хлипким, и плинтус держался на двух гвоздях) и сунул под него клочок бумаги. Мне не терпелось узнать, что там, и это, несмотря на то, что за свое дурацкое любопытство я уже заполучила по полной программе. Как известно, глупость неистребима, и я наглядное тому подтверждение. В общем, с той минуты я могла думать лишь об одном: что он там спрятал?

Я вернулась в постель, соблюдая все мыслимые предосторожности, жизнь сразу же наполнилась смыслом: заглянуть под плинтус во что бы то ни стало. Я заворочалась, кашлянула и даже что-то пробормотала, то есть дала понять, что просыпаюсь, встала и прошлепала в туалет.

— Дорогая, — позвал Кирилл, — я голоден, как волк, а оставлять вас одну не хочу, придется вам составить мне компанию, даже если вы на диете сегодня.

— Через полчаса буду готова, — заверила я, умылась и пошла переодеваться. Кирилл вышел на веранду, устроился там в пластмассовом кресле, что-то насвистывая. Меня неудержимо тянуло к плинтусу. — Как вы считаете, — громко заговорила я, проходя мимо двери на веранду, — я должна надеть платье или можно ехать в шортах?

— Если вас интересует мое мнение, в шортах женщина выглядит сексуально на пляже, но отнюдь не в ресторане.

— Хорошо, я надену платье. Здесь можно раздобыть утюг?

— Конечно. Хотите, чтобы я за ним сходил?

— Я была бы вам очень благодарна, а я пока займусь прической.

Он направился к зданию администрации, а я кинулась к плинтусу, отжать его от пола было делом пустяковым, я сунула руку и извлекла банкноту достоинством в один доллар, она была разорвана пополам, но половинки идеально подходили друг другу. Впрочем, не очень-то я их и разглядывала. Поняв, что у меня в руках, я испытала горькое разочарование. Никаких разгадок, к прежним загадкам прибавилась еще одна: зачем он ее спрятал? Может, ожидал, что я начну копаться в его вещах, и убрал с глаз долой? Но ведь банкноту я уже видела, он сам мне ее показал. И все-таки спрятал. Что в ней такого особенного? Оставив банкноту на месте, я бросилась в свою комнату, поглядывая в окно. Кирилл как раз достиг здания администрации, а я извлекла кошелек из сумки, нашла однодолларовую купюру, осторожно разорвала ее посередине и вернулась к плинтусу. На вопрос: зачем я это делаю, ответить не смогла бы, оттого себе его и не задавала.

На то, чтобы достать банкноту Кирилла и засунуть за плинтус мою, ушло несколько секунд. Я вернулась в комнату и огляделась: куда спрятать купюру? Надо бы как следует ее рассмотреть на досуге. Мое увлечение детективами навело на вполне разумную мысль: лучше всего прятать на виду, оттого я сложила банкноту (теперь сразу и не сообразишь, что она разорвана) и убрала в кошелек вместе с другими купюрами различных достоинств.

Кирилл возвращался без особой спешки, а я занялась своей прической. Мне не терпелось уйти из дома, я боялась, что он чего доброго решит заглянуть под плинтус и обнаружит подмену, оттого сборы прошли в рекордно короткий срок, подозреваю, Кирилл был потрясен.

— Вы удивительная женщина, — со смешком заявил он, и мы покинули наше унылое пристанище, причем я с утюгом в руке, который намеревалась вернуть.

Я чувствовала некоторую нервозность, но держать язык за зубами ума хватило, Кирилл обязательно обратил бы внимание на перемену в моем настроении и сразу бы что-то заподозрил. Все домики были одинаково скучные, и кемпинг казался вымершим. Отдыхающие были на море, и на их присутствие намекали лишь купальные костюмы и полотенца, развешанные на верандах.

Правда, на одной веранде я заметила даму внушительной комплекции, а на другой... должно быть, у меня глюки, результат черепно-мозговой травмы, которую я успела схлопотать, но человек, поспешно скрывшийся в домике, показался мне знакомым.

Я сбилась с шага и замерла, таращась на веранду, где теперь никого не было.

— В чем дело? — удивился Кирилл.

— Мне показалось... — начала мямлить я, прижимая утюг к груди, перевела на него взгляд, мысленно выругалась и продолжила в досаде: — В домике под номером семь мужчина... мне кажется, я его где-то видела.

— В отеле? — нахмурился Кирилл.

— Не знаю. Возможно. Лица не разглядела.

— Вы не разглядели лица мужчины, но вместе с тем утверждаете, что где-то его видели?

— В его облике нечто знакомое...

— Так, — вздохнул Кирилл, — началась игра в шпионов. — Он забрал из моих рук утюг и вошел в здание администрации, а я топталась на улице. — Носков Сергей Витальевич, — сообщил Кирилл, спускаясь по лестнице. — Вам это имя что-то говорит?

— Нет, — удивилась я. — А должно?

— Он остановился в доме под номером семь.

— Человек может назваться как угодно, — не выдержала я.

— Дорогая, запугать меня не так просто, я не собираюсь впадать в истерику оттого, что кто-то вам показался знакомым. Скажу по секрету, я ничего не опасаюсь, — наклоняясь к моему уху, прошептал он.

— Довольно странно, — съязвила я, — учитывая ночные события.

— Софья Павловна, если вы рассчитываете запудрить мне мозги, воспользоваться ситуацией и сбежать, предупреждаю, труд напрасный. Здесь мы в безопасности.

— Найти нас пара пустяков. На побережье не так уж много отелей, кемпингов... Зная фамилии...

— А кто нас собирается искать? — изумился он.

Я замерла, глядя на него с недоумением, затем все же ответила:

— Тот человек, который должен был ждать возле лодки. Не вы ли говорили, что если он уйдет...

— Так вы его увидели в седьмом домике? — поднял брови Кирилл.

— Нет, — зло ответила я.

— Тогда чего волноваться?

— Хорошо, — прошипела я, ничего хорошего в тот момент не наблюдая. Кирилл уже садился в машину, и мне пришлось к нему присоединиться.

С моей точки зрения, вел он себя неправильно, этому должна быть причина, я поломала голову и очень скоро пришла вот к какому выводу: Кириллу прекрасно известно, что за тип поселился в доме под номером семь, и именно для встречи с ним мы сюда и приехали. Но тогда выходит, что я этого человека тоже знаю, если и не знаю, то видела, иначе с какой стати он показался мне знакомым? Кто это может быть? Не так уж много кандидатов на данную роль.

— Не морщите свой хорошенький лобик, — с насмешкой сказал Кирилл. — Морщины не украшают женщин.

— Да идите вы к черту.

— Успокойтесь, дорогая, вы в абсолютной безопасности.

Знал бы этот дурень, как заблуждался в ту минуту, быстро бы перестал скалить зубы.

Ресторан оказался заведением средней руки, еда скверной, музыка слишком громкой, ко всему прочему Кирилл раздражал насмешками, такое чувство, что он решил вывести меня из терпения. Я была скромна, улыбчива и молчалива, держала себя в руках, но ужин никакого удовольствия не доставил.

— Что у нас сегодня в программе? — вежливо спросила я, когда Кирилл расплатился.

— Ничего. Отдых после насыщенного дня. Хотя, если у вас есть предложения...

— Никаких предложений.

Мы вернулись в кемпинг. К тому моменту уже стемнело, Кирилл решил искупаться, а я отправилась спать и уснула так крепко, что даже не слышала, как он вернулся.

Разбудил меня чей-то крик, хотя, может, кричали в моем сне, снилось мне что-то страшное, а может, кричала какая-то ночная птица. Я проснулась, подняла голову от подушки и прислушалась. Было тихо, лишь мошкара надоедливо жужжала, в открытое окно пахнуло свежестью. Ветер сменился и теперь дул с моря, я услышала шум воды, ровный, далекий гул. Может, будет шторм?

Я повернулась на бок и даже закрыла глаза, но сон не шел, сердце вдруг застучало часто-часто, я вновь приподнялась, напряженно вслушиваясь в тишину за окном. Руки сделались липкими, а сердце забилось еще чаще.

Я была напугана и не находила причину своего страха. Темнота за окном? Тишина? Сон, который приснился и все не отпускает?

— Сон, — пробормотала я и в страхе замерла, испугавшись, что меня услышат. «Чепуха какая, — подумала сердито, злясь на себя за этот неожиданный приступ необъяснимого ужаса. — Спать. Закрой глаза и спи. Просто темная ночь, незнакомое место, море шумит, будет шторм. Вот и все. Спи». Вместо желанного покоя появилась потребность заорать во все горло, позвать Кирилла. Я уже открыла рот, чтобы в самом деле его окликнуть, но тут представила себе его насмешливую физиономию и то, как глупо буду выглядеть, объясняя свои ночные страхи. Разумеется, он решит, что я просто жажду его внимания и ищу повода оказаться в его постели, не теряя уважения к себе. Хотя какое, к черту, уважение? — Ни за что, — сказала я грозно, натягивая простыню себе на голову. — Буду считать до тысячи, говорят, помогает.

Скрипнула ступенька. Сначала я даже не поняла, что это, просто выделила звук среди других ночных звуков, и тут же стало тихо. Я села в постели, теперь сердце не стучало, оно вроде бы замерло или вовсе куда-то провалилось. Я сидела, таращась в темноту, вся обратившись в слух.

Вновь шорох, глухой, невнятный, и снова тишина. Скрип... теперь я была почти уверена: открыли дверь, осторожно, почти бесшумно. Я даже не могла сказать, что слышу шаги, я их чувствовала... шаг... пауза, опять шаги.

— Кирилл, — позвала я, вышло глухое шипение, я кашлянула и вновь позвала: — Кирилл... — на этот раз получилось громче. Шорох, вдруг что-то упало, затем страшный грохот, за стеной странно булькнуло, а я, не помня себя, бросилась к окну.

Я дергала за деревянную раму с натянутой сеткой, она подалась, но лишь с одной стороны, со второй ее что-то держало, я дернула еще раз, остервенело, зло, она упала мне под ноги, и в тот же миг я услышала торопливые шаги, кто-то быстро шел к двери в мою комнату.

«Это не Кирилл, — пронеслось в мозгу. — Зачем ему вести себя так по-дурацки, он бы ответил...» Я хотела закричать и не смогла, с ужасом подумав: я не успею выбраться в окно, просто не успею. Дверь уже открывалась, и я сделала ужасную глупость — нырнула под кровать. Закатилась одним боком и едва не чихнула, оказавшись в душном пыльном пространстве, где можно было задохнуться.

Голова едва не упиралась в матрас, я лежала на спине, боясь шевельнуться. Человек вбежал в комнату. Я не видела ничего, даже его ног, для этого пришлось бы повернуть голову, а я не в силах была это сделать, но слышала, как он подбежал к окну, пнул раму с натянутой сеткой, в сердцах пробормотал «черт» и бросился вон из домика. Я смогла продержаться еще минуту, зажав себе рот рукой, потом выбралась из-под кровати, на четвереньках достигла двери, боясь, что он увидит меня в окно. Позвать Кирилла я тоже не решилась, впрочем, я была уверена, что его нет в доме.

Я открыла входную дверь и буквально вывалилась на лужайку перед домом. Напротив горел фонарь, и я поспешила нырнуть в кусты. «Он где-то здесь», — билось в мозгу. Страх вдруг придал мне силы, я припустилась к административному зданию, держась в тени деревьев. Кемпинг выглядел брошенным, единственный фонарь слабо освещал пространство в самом центре, ни в одном из окон свет не горел, даже в административном здании. «Да они что, все вымерли? — в отчаянии подумала я. — Надо позвать на помощь... А если на помощь никто не придет, а этот услышит? Где Кирилл, черт бы его побрал...» Я бежала к административному зданию, надеясь, что там кто-то есть, просто обязан быть, как же иначе. И тут увидела темную тень впереди, мужчина вывернул из-за соседнего домика, я рухнула на землю, задев плечом за что-то острое, на мгновение зажмурившись от боли.

Он смотрел в другую сторону, его тоже интересовало здание администрации. Поразмыслив немного, он направился туда, а я бросилась за ближайший дом. Убедившись, что меня в той стороне нет, он повернет назад и непременно на меня наткнется.

Видела я в темноте плохо, а соображала еще хуже, задела ногой о нижнюю ступеньку домика и вместо того, чтобы спрятаться, поднялась на веранду, хотела постучать в дверь, разбудить хозяев, сказать, что в мой домик влезли воры.

Не дойдя пары метров до административного здания, человек резко повернулся. Я нащупала ручку двери, нажала, ни на что не надеясь, и она внезапно открылась. Я юркнула в дом, замерла между дверью и окошком, осторожно выглядывая из-за занавески. Он меня заметил или услышал, как скрипнула дверь, потому что быстро шел к моему убежищу, нервно оглядываясь. «Да куда все подевались?» — с ужасом подумала я, тишина и безлюдье прямо-таки потрясали. Я бросилась в первую комнату, затем во вторую. Домик пуст.

Он толкнул входную дверь, я подбежала, замок еще держался, и я навалилась на дверь плечом. Я увидела руку в перчатке, мужчина с силой ударил по стеклу, осколки брызнули в разные стороны, просунул руку, потянулся к замку. Не помня себя, я вцепилась в его руку зубами, он отдернул ее, схватил меня за волосы, с силой потянул на себя, я рванула в сторону, дверь распахнулась, ударилась о стену, посыпалось стекло, и тут, наконец, мир встал на свои места. Кто-то бежал по дорожке, громко вопрошая:

— Что здесь происходит? Эй, вы кто?

В нескольких домах напротив разом зажегся свет, я отбежала от двери, слыша торопливые шаги, человек, с которым я боролась секунду назад, поспешно покидал поле боя.

Я видела, как он удаляется, нырнув в пространство между домами, мой спаситель еще раз его окликнул, но преследовать не решился, и мужчина растворился в темноте. Что ж, кто бы он ни был, а поступил мудро, удрал в сторону моря, где обнаружить его гораздо сложнее. Вот если бы он бросился на дорогу... очень жаль, что не бросился, в свете фонаря я смогла бы его разглядеть, а так... силуэт, низкий голос да рука в перчатке.

Граждане бестолково потолкались возле своих домов и начали расходиться, а мой спаситель оглядываться. Сейчас заметит разбитое стекло и направится сюда. Встречаться с ним не было желания, пришлось бы объяснять, что и как, а что я объясню?

Я быстренько переместилась к окну, выходящему на противоположную сторону и с облегчением вздохнула: окно легко открылось. Рама с сеткой стояла рядом, прислоненная к стене. Я взгромоздилась на подоконник и не без труда выбралась на улицу, окно прикрыла и бросилась к своему дому. И тут поняла вот что: дом, в котором я только что была, имел номер семь, то есть это как раз тот дом, где я всего несколько часов назад видела знакомую фигуру. Правда, не знаю чью. Выходит, обитатель домика куда-то исчез. Как там его фамилия, черт... не вспомню.

Удалившись на несколько десятков метров от дома, я решила выйти на свет и увидела парня на крыльце, который разглядывал разбитую дверь и чертыхался, а он увидел меня.

— Что случилось? — спросила я, голос мой звучал хрипловато, но ровно, никогда не замечала за собой особого притворства, и вот смотри-ка, на ходу учусь.

— Какой-то идиот стекло выбил. Не беспокойтесь, он убежал.

— Значит, все в порядке?

— Да-да, не беспокойтесь, — повторил парень, чувствовалось, что ему не терпится от меня отделаться. Я, однако, подошла поближе.

— А что, в домике никто не живет? Я вечером видела мужчину.

— Уехал, часов в девять. Придется заводить собаку, черт-те кто по ночам бродит.

— Да, с собакой спокойнее.

— Были собаки, даже две. Одну машиной сбили, ночью выбралась за ограду, и вот, пожалуйста... А вторую то ли украли, то ли сама сбежала. Дворняжка, но забавная такая... Теперь вот придется стекло вставлять... и замок сломан. Чего ему здесь понадобилось? Впрочем, полно придурков, тащат все подряд.

Я еще с минуту послушала его сетования, затем пожелала ему спокойной ночи и, уже не таясь, пошла к своему дому. Свет не горел, и тишина стояла, как в могиле, входная дверь не заперта, что неудивительно, ведь как-то тот тип смог войти. Интересно, где носит Кирилла? То, что его нет в доме, совершенно очевидно. Спи он хоть богатырским сном, шум на улице непременно должен был его поднять. Выходит, ничего мне не сказав, он куда-то уехал, бросив меня здесь на своих врагов, и до сих пор не вернулся.

Я вошла в комнату, включила свет, и тут мои размышления неожиданно прервались. Я замерла с открытым ртом. Кирилл никуда не уходил. Он лежал на своей постели, раскинув руки и запрокинув голову. Вот голова-то мне как раз и не нравилась. Точно под гипнозом, я сделала несколько шагов, еще не веря, что представшее моим глазам не галлюцинация и не глупая шутка, и сцепила обе ладони на своих губах, удержав крик, который рвался из моей груди.

Горло Кирилла было разрезано от уха до уха, кровь залила грудь и уже густела, глаза были открыты и в них замер ужас. Впрочем, за достоверность не ручаюсь, что было в действительности, а что порождением ужаса, сразу и не скажешь, одно было несомненно: Кирилл мертв, и никакой самый искусный врач его не оживит.

— Мамочка, — пробормотала я, сползая на пол. Самое время лишиться сознания, а еще лучше уснуть, проснуться у себя дома два дня назад и ни за какие коврижки его не покидать, тогда этот кошмар никогда не предстал бы моим глазам.

На пол я сползла, но чувств не лишилась, а через минуту скоренько поднялась и выключила свет, парень, что работает здесь, чего доброго начнет обход, заглянет в окно... Я бросилась к входной двери, заперла ее и вернулась обратно. Я думала, если не видеть труп, станет не так страшно, ничего подобного, теперь во всех углах таилась опасность, а взгляд неудержимо притягивала кровать с темным силуэтом на ней.

Я кинулась в свою комнату, вытащила чемодан и побросала в него вещи, порадовавшись, что, приехав сюда, распаковывать его не стала, собраться в темноте дело нелегкое, а включать свет я боялась.

Я уже хотела бежать со всех ног, когда вспомнила про свой наряд, я стояла в трусиках и майке, в которых легла спать. И если парень, занятый разбитой дверью, да еще в темноте, на мой вид внимания не обратил, то кто-то может оказаться глазастее. Я достала шорты, натянула их и потащила чемодан к двери.

«Можно взять машину Кирилла», — лихорадочно думала я, но тут же отказалась от этой мысли, она на стоянке, и парня наверняка заинтересует мой внезапный отъезд.

Не желая привлекать к себе внимания, я, прячась за домами, побежала в сторону моря. Когда до него оставалось совсем ничего, замерла, едва не заревев от отчаяния. Где-то там скрылся убийца. Если я пойду туда, могу с ним столкнуться, если воспользуюсь калиткой, меня увидит служащий. И что я ему скажу? Куда я на ночь глядя одна... «Его нет на берегу, — решила я себя утешить, имея в виду убийцу. — Что ему там делать? Дурак он, что ли, сидеть здесь и ждать, когда приедет милиция и начнет за ним охотиться». Кстати, мысль о милиции и меня заставила двигаться живее. Я перехватила чемодан в другую руку, сумку перекинула через плечо и теперь почти бежала.

Тропинка тут разделялась на две, одна шла к морю, а другая резко влево, скрываясь в зарослях кустарника. Я жалобно заскулила, сделать шаг в пугающую темноту было страшно, а идти по пляжу опасно, здесь везде санатории, турбазы и гостиницы, я и сотни метров не пройду, как окажусь перед забором или столкнусь со сторожем. Я направилась к кустам, втянула голову в плечи, ежесекундно ожидая нападения, но ничего не произошло. Впереди забрезжил свет, и это придало мне силы. Вскоре я оказалась на дороге, сейчас совершенно пустынной, бросила чемодан и попыталась отдышаться.

Послышался звук подъезжающей машины, и я

нырнула в кусты. Лицо убийцы я не видела, и если он вдруг появится сейчас... впрочем, даже если я его узнаю, что толку? Это мне в доме повезло, потому что вокруг были люди и он не хотел лишнего шума, а здесь...

Машина промчалась мимо, на мгновение вырвав из темноты высокие деревья впереди и пустынное шоссе. Я с облегчением вздохнула, но облегчение тут же сменило беспокойство. Остановить машину я не могу, это слишком опасно, но мне необходимо побыстрее покинуть это место и оказаться как можно дальше отсюда.

Я зашагала вдоль дороги, а заслышав шум мотора, пряталась в кустах, к счастью, машины были здесь редкостью, по крайней мере этой ночью. До рассвета я брела, глядя себе под ноги и ни о чем не думая, вторая бессонная ночь сил не прибавила. Прошлой ночью мне казалось, ничего страшнее ее в моей жизни не было и не будет, и вот на тебе, прошло всего несколько часов, и та ночь по сравнению с этой, фантики. Вчера со мной был Кирилл, и он принимал решения. А сегодня... сегодня я совсем одна, где-то рядом убийца, а меня, возможно, уже завтра будет разыскивать милиция по подозрению в убийстве.

При этой мысли я вновь ускорила шаг, у меня зуб на зуб не попадал то ли от ночной прохлады, то ли от страха. Если я явлюсь в милицию и все расскажу... да кто мне поверит? И что я могу рассказать? На моих глазах убили двоих людей, и я помогала убийце избавиться от трупов? Ох, мама моя... лучше не думать, выбраться отсюда, вернуться домой, там Светка, ее муж, родня, друзья... Вот им я все и расскажу, Светка что-нибудь придумает, она всегда что-нибудь придумывает, главное, выбраться отсюда.

Впереди показался поселок, я взглянула на часы. Пять утра, не очень разумно появляться там в это время. Да и машины стали попадаться все чаще, не столько идешь, сколько прячешься. Я решительно свернула к ближайшим кустам, положила чемодан под голову и постаралась уснуть. Невероятно, но мне это удалось.

Проснулась я оттого, что солнце било в глаза, взглянула на часы и чертыхнулась, подхватила чемодан и бегом к поселку. Поселок выглядел сонным. Неподалеку магазин и автобусная остановка. На скамейке сидели две женщины с большими корзинами, в них молоко в трехлитровых банках, прикрытых марлей.

— Здравствуйте, — сказала я. — Автобус скоро?

— Должен подойти, — ответила одна из женщин, подвинулась, давая мне возможность сесть, корзины стояли возле моих ног, и я поняла, как проголодалась. Перевела взгляд на магазин.

— Вы за чемоданом не присмотрите? — Женщины не успели ответить, показался автобус, и обе торопливо поднялись, а меня ждал очередной сюрприз: автобус появился с противоположной стороны, то есть направлялся туда, откуда я так стремительно бежала. Но следующий будет неизвестно когда. Главное, добраться до города, а там...

Я вошла в автобус, половина мест были не заняты, я устроилась рядом со старичком в смешной панамке, он уставился в свою газету и на меня не обратил внимания. Двери закрылись, и автобус не спеша пополз в гору.

— Сколько до города? — спросила я, повернувшись к женщине с корзиной, которая сидела сзади.

— Как поедем. Начнет у каждого столба вставать, так и за полтора часа дай бог... А то и вовсе сломается. — Она досадливо махнула рукой, а я вздохнула.

Дорога сделала плавный поворот, и я увидела ворота кемпинга. Мне казалось, я преодолела огромное расстояние, а на самом деле прошла всего несколько километров. Я инстинктивно дернулась и отвернулась, однако успела заметить, что милицейских машин нет, да и слишком тихо, значит, Кирилла еще не нашли. Когда автобус вновь свернул, я почувствовала облегчение. «Меня не ищут, — мысленно успокаивала я себя. — Я смогу...» — Додумать я не успела, справа появилась милицейская машина, приткнулась на обочине. Сердце у меня ухнуло вниз и долго не желало возвращаться обратно, хотя двое милиционеров, стоявшие рядом с машиной, даже не взглянули на автобус. В общем, о спокойствии можно было лишь мечтать.

Я закрыла глаза, пытаясь справиться с волнением. Народу все прибывало, люди теперь стояли в проходе сплошной стеной, а я порадовалась: в толпе проще затеряться. Стало жарко, окна в автобусе открыли, но и это не спасало от духоты. Дорога пошла с горы, и вскоре я увидела бухту, к ней по склону спускались нарядные домики, дальше виднелись пятиэтажки, стало ясно, мы приближаемся к конечной точке маршрута.

Автовокзал был старым, обшарпанным, а духота здесь такая, что через минуту я покрылась липким потом. Я поспешила покинуть здание и отправилась в кафе напротив. Проще всего добраться до ближайшего аэропорта и... Эту идею я отмела сразу. При покупке билета придется предъявлять паспорт, и если меня начнут искать... Поезд тоже не годился, билет можно купить с рук, но, если на мой след все же нападут, поезд так легко не покинешь, надо ждать ближайшую станцию, а там скорее всего уже будут встречать. Идея прыгать с поезда была мною забракована, так что оставался автомобильный транспорт: машины или автобус. Автобус предпочтительнее. Чем больше пассажиров, тем лучше. Быстро покончив с едой, я вернулась на автовокзал. Внимательно изучила расписание. Моя задача: оказаться как можно дальше отсюда и желательно продвигаться в направлении родного города. Минут через пятнадцать в голове сложился примерный маршрут, и я пошла к кассе за билетом. Однако с билетом вышла незадача, маршрут пришлось подредактировать, но расстраиваться я себе запретила.

Через час я уже тряслась в автобусе по горной дороге. «Надо позвонить Светке», — думала я, сидя с закрытыми глазами, и пожалела, что не взяла с собой сотовый. Отправляясь отдыхать, я не желала, чтобы меня кто-то беспокоил, теперь телефон очень бы пригодился, но его нет.

Через три часа я оказалась на очередном автовокзале и занялась изучением расписания. Через час вновь автобус и вновь автовокзал. Здесь меня подстерегало очередное невезение. Билетов нет ни в одну сторону, и раньше утра мне отсюда не выбраться. В крайней досаде я устроилась возле окна, погруженная в невеселые думы. В городе есть гостиница, и даже не одна. Я смогу переночевать... А если уже ищут? Если во всех сводках новостей дается моя фотография или мое описание внешности? «Откуда ж фотография? — попробовала я себя урезонить. — Ничего, и фоторобота более чем достаточно». Нет, гостиница не годится. Так что же мне, тут сидеть? Я оглядела зал с тоской и отчаянием, из груди моей вырвался тяжкий стон. «Я не могу здесь сидеть, не могу, и все».

Схватив чемодан, я решительно направилась к стоянке такси. На переговоры ушло минут пять, я знала, что пузатый дядька с пышными усами попросту меня обворовывает, никакая поездка не могла стоить таких денег, но мрачно согласилась. В великой радости он забросил мой чемодан в багажник, и мы стрелой вылетели из города. Я опасалась, что он начнет болтать по дороге, слушать его желания не было, а уж тем более говорить самой, я свесила голову на грудь и сделала вид, что дремлю. Он выключил радио и вообще вел себя образцово, голос подал, лишь когда впереди показались огни города.

— Приехали, — сказал негромко. — Вам куда?

— На автовокзал, — позевывая, ответила я.

Здесь мне повезло больше. Автобус в подходящем направлении уходил через три часа. Я купила билет, заметив в углу междугородный телефон-автомат, направилась к нему. Светка ответила после шестого гудка, узнав мой голос, испуганно спросила:

— Что случилось?

Я перепугалась еще больше и тоже спросила:

— Меня уже ищут?

— Кто? — ахнула сестрица. Стало ясно, общаться таким образом мы будем до второго пришествия, и я взяла инициативу в свои руки.

— Светка, со мной произошла жуткая история. При мне убили человека, и я... я увязла по самые уши.

— Что значит «увязла»? Что ты меня пугаешь?

— Знала бы ты, как я напугана. — Не вдаваясь в подробности, понизив голос до минимума и прикрывая рукой трубку, я поведала о своих несчастьях.

— Не может быть, — пролепетала Светка после короткой паузы.

— Я тоже так думала, а теперь...

— Значит, так, сиди, где ты есть, надеюсь, завтра мы сможем тебя забрать.

— Да ты спятила, как я буду здесь сидеть?

— Тогда что?

— Не знаю. Буду двигаться ближе к дому, а ты пока подумай, что я должна сказать в милиции.

— Нужен хороший адвокат.

— Вот-вот. Ради бога, придумай что-нибудь. — Я бы наверняка заревела, но тут карточка кончилась, я повесила трубку, шмыгнула носом, повернулась и в двух шагах от себя увидела мужчину лет тридцати пяти, в костюме и при галстуке, что само по себе выглядело неуместно в такую-то жару, еще более неуместным было то, что он, взяв меня за локоток, сказал тихо и едва ли не вкрадчиво:

— Будьте добры, пройдите со мной.

— Куда это? — нахмурилась я и попробовала выдернуть руку. С ближайших кресел поднялись еще двое в костюмах и взяли меня в плотное кольцо.

— Софья Павловна, — продолжил увещевать первый, — проявите благоразумие. Это в ваших интересах, поверьте.

— Вы кто? — не унималась я. — Вы из милиции? — Даже для милиции они вели себя слишком по-дурацки, кто же тогда? Неужели... Я судорожно глотнула и сказала твердо: — Предъявите удостоверения, не то закричу. Громко. — Я и в самом деле собралась кричать, но тот, что был справа, коснулся ладонью моей шеи, и все поплыло перед глазами. Двое подхватили под руки меня, а третий мой чемодан и направились к выходу, все это я наблюдала как будто со стороны, хотелось заорать, но рот был вялым, язык не слушался, а ноги — точно ватные. Возле дверей ждала машина, меня запихнули в кабину, сели сами, и машина тут же тронулась с места.

Пейзаж за окном не очень-то меня волновал, в этом городе я была впервые и сообразить, куда меня везут, все равно бы не сумела. Ехали не менее получаса, хотя наверняка не скажешь, окружающее виделось в сизой дымке и призрачно, как во сне. Однако мужчины, сидящие слева и справа от меня, призраками не были, самая что ни на есть суровая действительность. Беда в том, что мысли в голове путаются и выработать линию поведения я просто не в состоянии. Я беспомощна, значит, эти гады задурят, запутают, и я такого на себя наговорю, хватит на два пожизненных заключения. Убийства, шпионаж (теперь я была уверена, что шпионаж), попытка сбежать от правосудия и черт-те что еще в придачу.

Мне стало совсем скверно, я откинула голову назад, а потом неожиданно для себя попросила:

— Откройте окно.

— Она пришла в себя, — сказал тот, что слева, следовательно, предполагалось, что до той поры я была не в себе, то есть без сознания.

— Мне плохо, — порадовала я. — Можно я выйду? — Мне и в самом деле сделалось нехорошо, но они, видимо, решили иначе, явно переоценив мои способности. Мужчина протянул мне бумажный пакет, из тех, которые используют в самолетах, а я, наплевав на неловкость, им воспользовалась, после чего вернула пакет. Не одной мне страдать, надо и других порадовать. Пакет он выбросил в окно и опустил стекло пониже.

— У нас что, кондиционер не работает? — буркнул недовольно.

— Сломался, — пожал плечами парень, сидевший за рулем, я вновь откинула голову, закрыла глаза, решив, что мне лучше некоторое время побыть умирающей.

Вот тут и выяснилось, что мы приехали. Прямо перед нами темной массой возвышался особняк за высоким забором. Ворота как по волшебству открылись, и мы оказались на территории, рассмотреть, что там и к чему, я не успела, меня опять подхватили под руки и, можно сказать, внесли в дом.

Его убранство ничем особенным не отличалось. Большая гостиная с мягкой мебелью, камином, двумя застекленными шкафами и ковром на полу. Меня усадили в кресло, мужчины тоже устроились с удобствами. Тот, что был старше по возрасту, предложил мне кофе, я отказалась. К тому моменту я была напугана до такой степени, что саму себя от страха не помнила. То, что меня привезли не в тюрьму, а в какой-то дом, ничуть не обрадовало. Выходит, эти типы вовсе не из милиции (да как мне в голову могло прийти такое, из них милиционеры, как из меня штангист), а если не из милиции, значит, либо преступники (я невольно клацнула зубами, их мне только не хватало), либо иностранные шпионы. Конечно, шпионы, не ходи к гадалке, вон рожи-то какие противные. Бандитские. Но бандиты так себя не ведут, хотя среди них разные попадаются, взять, к примеру, Левушку, с виду приличный человек... Но разом три воспитанных бандита — это все же перебор, значит, все еще хуже и передо мной враги Отчизны. Вот в такие минуты и начинаешь чувствовать себя патриотом.

— Воды? — участливо спросил старший.

— Спасибо, ничего не надо. — Из вражеских рук и вода точно уксус. «Умру достойно, — решила я. — То есть постараюсь. Господи, как не хочется-то...»

— Софья Павловна... или, может быть, Ирина Константиновна? Я прав?

— Правы, — кивнула я. — Зовите как угодно. — Значит, теперь и сбегать нет смысла, они знают, кто я, и непременно найдут. Если здесь отыскали... Я нахмурилась и спросила неожиданно для себя: — Вы как меня нашли?

Он усмехнулся, давая понять, как наивен мой вопрос.

— Это совсем не трудно, — ответил с улыбкой. «Точно разведка, ментам всегда все трудно, а этот лыбится».

— Слушайте, вы кто? — не выдержала я. Старший сунул мне под нос удостоверение в красной корочке, я замерла, пожирая его глазами, но из того, что прочитала, не поняла ни словечка, только имя запомнила: Аркадий, и даже отчество проскользнуло мимо моего сознания. Но одно все же сообразила: они не вражеские шпионы. Легче стало только в первую минуту, а потом так тошно, что хоть волком вой.

— Надеюсь, вы понимаете, в каком положении оказались? — утешил Аркадий, убирая удостоверение. — Только от вас зависит...

— Я не виновата, — скороговоркой выпалила я и даже покраснела, ничего глупее придумать не могла. Сейчас парень ответит: «Все так говорят», — и будет, конечно, прав. Но он молча кивнул, вроде бы соглашаясь, и это придало мне силы.

— Расскажите, как вы оказались втянуты в эту историю, — вежливо предложил он, я вздохнула и очень подробно рассказала. Ничего не скрывая, даже того, что помогала перетаскивать трупы. Хуже, чем есть, уже не будет, а начнешь врать — себе дороже. Один раз на вранье поймают и больше никогда не поверят, а в том, что поймают, я не сомневалась, чему-то их учили, а я и в детстве с враньем не дружила, так что навыков никаких.

Все трое слушали очень внимательно и не перебивали. Когда я замолчала, мужчины переглянулись, точно спрашивая друг у друга совета. Самый молодой извлек из папки бумаги и бросил на стол, а Аркадий заговорил:

— Вы утверждаете, что раньше никогда не встречали человека, назвавшего себя Кириллом Рокотовым...

— А он кто? — спросила я.

— Убийца, — помедлив, ответил Аркадий. — И вам об этом прекрасно известно.

— Извините, — промямлила я, сообразив, что мне надлежало слушать, а не вопросы задавать.

— Надеюсь, вы понимаете, что ваш рассказ звучит неубедительно.

— Уж какой есть. — Безнадежность ситуации придала мне отваги. Аркадий придвинул к себе бумаги, заглянул в них и вновь заговорил:

— Вы приезжаете отдохнуть под чужим именем...

— Согласна, это выглядит подозрительно, — вздохнула я, — но причина, по которой я это сделала, ничего общего с событиями на юге не имеет.

— Да? Тогда, может, вы поясните?

Я опять тяжко вздохнула, предчувствуя, что объяснение будет долгим, нудным и впечатления на них не произведет.

— Год назад я познакомилась с молодым человеком. Я искала богатого мужа, а он как раз был богат и свободен. Казался приличным парнем. Правда, вскоре я поняла, что от него следовало держаться подальше, но наши отношения уже были в той фазе, когда он решил, что я ему всем обязана. Я с этим согласиться не могла, и мы поссорились. После этого он превратил мою жизнь в ад. Полгода военных действий изрядно меня вымотали, требовалась передышка. И я поехала на юг, позаимствовав чужой паспорт. Я боялась, что он кинется меня искать. И не делайте такие глаза, с него станется. Если бы вы его знали так же хорошо, как знаю я, думали бы так же.

— Где взяли паспорт? — быстро спросил Аркадий. Я поморщилась, впутывать в это дело Светку совершенно не хотелось.

— Я едва знакома с этой женщиной, я имею в виду Софью Сперанскую. — На самом деле Соня работала у моей сестрицы домработницей. — Я просто объяснила, в чем моя проблема, и обещала отблагодарить. Вот и все.

— По-вашему, это убедительно? — вздохнул Аркадий, похоже, он был искренне огорчен моими неумелыми попытками врать во спасение, хотя я и не врала.

— Я говорю правду, — нахмурилась я и даже отвернулась, чтобы не видеть их физиономий с насмешливым выражением.

— Что ж, Ирина Константиновна, — вновь вздохнул Аркадий, — это ваша версия происходящего.

Я могу кое-что поправить? — Я равнодушно пожала плечами, понимая, что мое желание никакого значения не имеет. — Ваша сестра замужем за президентом фирмы...

— Он-то здесь при чем? — невежливо перебила я. — Я хочу сказать, при чем тут моя сестра и ее муж? Они за тысячу километров отсюда и знать ничего не знают...

Аркадий кашлянул, словно призывая меня к порядку.

— Позвольте, я продолжу. Я полагаю, именно муж вашей сестры познакомил вас с Левой Тихомировым по кличке Танк?

— О кличке никогда не слышала, а имя и фамилия известны мне даже слишком хорошо.

— Это тот самый молодой человек, от которого вы сбежали?

— Вы же знаете, — косясь на бумаги, вздохнула я. — Чего ж спрашивать? — «Интересно, что там еще написано?»

— Вам должно быть известно, что в недавнем прошлом муж вашей сестры и Тихомиров были партнерами и даже друзьями?

— Никакие они не друзья. Сергей его терпеть не может. А познакомились мы в ресторане. Лева подошел поздороваться и остался за нашим столом. Он мне понравился. Сергей намекал, что Лева не подходящая для меня пара, но кто ж умных советов-то слушает? И вот результат.

— Итак, вы поссорились и уехали, а здесь сразу же познакомились с Рокотовым и оказались замешанной в такую историю...

— Я же не нарочно.

— В самом деле? А у нас сложилось другое мнение. Может быть, Тихомиров попросил вас отправиться на юг? — Аркадий выделил глагол «попросил», в его устах он прозвучал прямо-таки зловеще. — И снабдил чужим паспортом, а также инструкциями...

— Да вы спятили, — не удержалась я. — Бред какой-то... Вы бы хоть подумали... на кой черт Левке Рокотов? У него процветающий бизнес и вообще... отсюда тысяча километров...

— Вы говорили, — согласно кивнул Аркадий.

— Что? — растерялась я.

— Что отсюда до города, где вы живете, тысяча километров. Если быть точным, одна тысяча семнадцать. Я смотрел по карте.

— Вы издеваетесь?

— Ирина Константиновна, из-за вашего вмешательства сорвалась тщательно подготовленная операция. Вы понимаете?

— Значит, плохо готовили, иначе с чего б ей сорваться? — съязвила я, уж очень этот Аркадий меня допекал. Скверный тип. Скользкий, как уж.

— Женщина, которую вы знали под именем Регина, прибыла в отель, чтобы встретиться с Рокотовым, — неторопливо начал он. — Вы не против, если я закурю?

— Ради бога...

Он закурил и продолжил:

— Регина уже несколько месяцев работала на нас. Но встреча с Рокотовым не состоялась, кто-то догадался о ее связи с нами, и Регина погибла, ее место заняла другая женщина, в действительности гражданка Панина Ольга Сергеевна. Но и она погибает. Как вы думаете, почему?

— Ну... кто-то догадался о подмене.

— Скорее всего, Рокотов. Ведь вы рассказали ему о том, что Регина вовсе не Регина.

— Да откуда мне было знать...

— Рокотов, как и мы, очень сомневался, что в отеле вы появились случайно. Он пытался понять, кто и какую игру ведет, и прихватил вас с собой.

— Ага, добавьте к этому, что меня едва не убили. Можете полюбоваться моим затылком, — предложила я.

— Вы считаете это доказательством вашей невиновности? На мой взгляд, покушение делает вас еще более подозрительной.

Я приоткрыла рот и немного похлопала глазами, стало ясно: логика у него железная и с моей ничего общего не имеет. К тому моменту я была так напугана, что и пожизненное заключение уже не казалось худшей карой, я примолкла, погрузилась в себя, а трое мужчин наблюдали за мной с напряженным вниманием.

— Чего вы хотите? — где-то минут через десять задала я вопрос. — Ведь чего-то вы от меня хотите? Иначе я уже часа два сидела бы в камере, разве нет?

Они в который раз переглянулись, и Аркадий начал вкрадчиво:

— Как я уже сообщил вам ранее, тщательно спланированная операция оказалась под угрозой срыва. То есть она фактически сорвана, раз Рокотов мертв, но есть один шанс. И мы должны его использовать. — Он сделал паузу, а я, немного подождав, согласно кивнула.

— Очень хорошо, а я здесь при чем?

— Вам придется занять место погибшей Регины, — осчастливил он. Ей-богу, я решила, что он шутит, и даже хихикнула. Лица мужчин остались серьезными, и хихикать мне мгновенно расхотелось.

— Как это? — кашлянув, спросила я.

— Рокотов должен был встретиться в отеле с блондинкой, то есть с Региной, но встреча не произошла по известной вам причине, однако он почему-то обратил внимание на вас и даже забрал с собой.

— Не почему-то, — поморщилась я, — а потому, что...

— Но ведь никто об этом не знает, — перебил Аркадий, и голос его звучал как сладкая музыка, но только не для меня.

— Что-то я никак не пойму...

— А что тут понимать? Вы встретились, он погиб, следовательно, начатое дело продолжать вам.

— Какое дело? — пролепетала я и даже вроде бы затосковала по тюремной камере, по крайней мере, она показалась предпочтительнее того, что предлагал Аркадий.

— Наше общее дело, — как ни в чем не бывало заявил он.

— Постойте, но как же я... ничего не понимаю.

— На самом деле все просто, — продолжил он вкрадчиво, но сам себе не верил. — Как я уже сказал, Регина сотрудничала с нами, и нам известно достаточно, чтобы мы могли продолжить операцию. Если бы встреча не состоялась в отеле, оба должны были отправиться в кемпинг, что вы и сделали. Ротов являлся доверенным лицом человека, который очень нас интересует, повторяю, очень интересует. Собственно, для того, чтобы схватить этого опасного преступника, и задумана вся операция.

— С чего вы взяли... — начала я, но Аркадий перебил:

— Операция под угрозой срыва, не только наша операция, но и его. Речь идет о больших деньгах, о нескольких миллионах долларов. Вы понимаете? Он просто обязан как-то проявить себя в этой ситуации.

— Согласна, миллионы — это серьезно, но я-то что могу сделать?

— Вы отправитесь к следующему месту встречи. Да-да. Как видите, интересующий нас человек весьма предусмотрителен. Если бы встреча в кемпинге вновь не состоялась, Регине надлежало переехать в некий отель и ждать там. Мы исходим из того, что вы обязаны строго следовать инструкции. Человек, стоящий во главе всего этого, должен послать вам навстречу связного, а если нам повезет, приедет сам.

— Ух ты, — только и смогла сказать я, посидела, погрустила и добавила с печалью: — Я видела уже пять трупов. Вы хотите, чтобы я стала шестым?

— Не волнуйтесь, ваша безопасность — это наша забота.

— А чьей заботой была безопасность Регины? — разозлилась я.

— В любом деле возможны накладки, но в вашем случае их не предвидится, гарантирую. Вы будете под неусыпной охраной наших людей. — Двое мужчин напротив с готовностью кивнули.

Мне стало вовсе нехорошо. Эти типы прохлопали свою операцию, а теперь пытаются спасти положение за мой счет. Разумеется, их совершенно не волнует тот факт, что я не хочу погибнуть смертью героя. Что им до этого? Незначительный человечек в их грандиозной игре. Конечно, я могу послать их к черту и оказаться в тюрьме. Они выместят на моей шкуре всю свою злость. Начальство поди им шею намылит, а они мне.

— У меня есть выбор? — все-таки поинтересовалась я. Все трое дружно покачали головами. — Я так и думала, — кивнула я и по-дурацки улыбнулась.

Я бежала к вертолету в сопровождении Аркадия и его людей. Вертолет приземлился на лужайке неподалеку от дома, где мы находились. Нечего и говорить, какое это произвело на меня впечатление, я почувствовала себя Джеймсом Бондом в юбке и даже возгордилась — как ни крути, а ведь я совершаю подвиг во имя Родины. Только длилось это недолго, я имею в виду гордость, и дело тут не в Родине, с ней-то как раз полный порядок, но при виде вертолета и тупому становится ясно, как тут все серьезно, а коли серьезно... В общем, хорошо, если о моей безопасности они говорили убежденно, а если сами не уверены? На смену гордости пришли печальные раздумья и сомнения, но к тому моменту мы уже загрузились в вертолет, я под руку с Аркадием, один из его ребят (звали его Павлом) с моим чемоданом, а второй без конца тревожно оглядывался, чем еще больше вгонял меня в тоску. Вертолет тут же взмыл в небо, а Аркадий, не успела я устроиться поудобнее, сразу же полез с инструкциями. Надо сказать, у меня от них уже мозги пухли, и от инструкций, и от самого Аркадия, оказавшегося страшной занудой, оттого отвечала я вяло, чем сразу же вызвала его недовольство.

— Ирина Константиновна, я хотел бы еще раз обратить ваше внимание...

— Да я все помню, честно. Мне просто спать хочется. У меня память хорошая, я действительно все запомнила, — поспешила утешить я, видя, как перекосилась его физиономия. — Вы, главное, не забудьте о моей безопасности, очень, знаете ли, не хочется в моем возрасте...

— Вот вам паспорт, — с недовольным видом протянул он мне документ. — На имя Софьи Сергеевны Беляевой. Имя оставили прежним, чтоб вы не путались. Паспорт вашей знакомой, по понятным причинам, больше не годится.

— А у нее не будет неприятностей? — испугалась я. — Я имею в виду свою знакомую?

— У нас у всех будут неприятности, если вы...

— Поняла, — с готовностью кивнула я, еще раз выслушивать его нравоучения просто сил не было.

— Вот мобильный, — сделав паузу, протянул он

мне телефон с недовольным видом. — Обычный телефон, в случае крайней необходимости вы должны позвонить. Номер помните? — Я повторила номер, он и тогда вроде бы остался недоволен, смотрел с сомнением. — После того, как мы вас высадим...

— Вы третий раз об этом говорите, — не выдержала я.

— Хорошо, — согласился он со вздохом и замолчал.

К тому моменту, когда вертолет набрал высоту, мной владело одно всепоглощающее желание. Лечь и уснуть, по крайней мере часов на десять, а там хоть трава не расти. То есть потом-то, конечно, другие думы одолеют, но трудности надо преодолевать по мере их возникновения. Я подумала, раз уж Аркадий заткнулся, может, удастся немного вздремнуть во время перелета, но перелет занял совсем мало времени, вертолет — это вам не автобус. Не успела я расслабиться и смежить веки, как мы пошли на посадку.

Приземлились на аэродроме, вдалеке я видела самолеты сквозь сетку дождя. Я невольно поежилась, потому что была в легком платье, втянула голову в плечи, чтобы дождевые капли не попали за шиворот, тут над моей головой раскрылся зонтик, я повернулась и увидела Павла с таким выражением лица, точно он сию минуту заслонил меня от вражеских пуль, мне стало по-настоящему тошно, но я все-таки сказала:

— Спасибо. — И мы гуськом направились к машине, которая ждала нас возле летного поля.

Аэропорт покинули очень быстро, дорога вскоре

пошла на подъем, а небо очистилось, выглянуло солнце, мир вокруг заискрился, засиял, а я подумала, что совсем не готова его оставить, и вновь покосилась на Павла. Сразу видно, что олух, ну разве такой устережет? А там суперпреступник, если не врут, конечно, и черт-те кто еще. Убийцы, по крайней мере, точно настоящие. Может, я поторопилась? И в тюрьме люди живут...

Ободренная этими мыслями, я взирала за окно, сонливость исчезла, и как-то чувствовалось, что бессонница мне обеспечена. Резкий поворот, в низине я увидела поселок, он спускался к морю.

— Ну, вот, — вздохнул Аркадий. — Прибыли. — Не удержался и спросил: — Вы все хорошо запомнили?

— Конечно. Не беспокойтесь, — подбодрила его я, видя, что он в этом очень нуждается.

Машина притормозила на краю поселка, я вышла, Павел достал мой чемодан.

— До свидания, — сказала я, раз сказать что-то надо, мужчины, в том числе и шофер, кивнули. Я подхватила чемодан и побрела по тропинке в сторону моря. Где-то там автобусная остановка. Автобус будет через двадцать минут. Я оглянулась, успела заметить, как за поворотом исчезла машина Аркадия, и неожиданно почувствовала себя сиротой.

Вид гостиницы нагонял тоску. Серое сооружение, построенное лет двадцать назад и успевшее заметно обветшать. Пляж выглядел тоже как-то уныло.

Среди больших камней на мелкой гальке лежали десятка два отдыхающих.

— Это вам не Канары, — вздохнула я и направилась к ступеням центрального входа, украшенного вазонами с бархатцами.

Номер я получила исключительно легко, не знаю, кого за это стоило благодарить, возможно, Аркадий постарался, а может, все дело в том, что сезон только-только начался. Мой номер радости не вызвал. Горячая вода текла тонкой струйкой, кровать скрипела, кресло вытерлось и в нескольких местах потрескалось, правда, телевизор работал, но я в нем не нуждалась. Балкон был, однако выходил на дорогу и особо привлекательным не показался. Кондиционер шумел и сотрясался, а на балконе под ним натекла лужа, может, по этой причине балкон выглядел неопрятно.

Я приняла душ и наконец-то легла спать. Сон мой был чуток, а сновидения малоприятными, и заметного облегчения отдых не принес. Вечером я поужинала (ресторан вовсе никуда не годился) и вновь завалилась в постель. Где-то в половине одиннадцатого, измучившись и жалея себя до слез, я позвонила Светке, хотя Аркадий мне это категорически запретил.

— Где ты? — рявкнула она так, что я трубку едва не выронила.

— Не кричи, — взмолилась я, — без тебя тошно.

— Где ты? — спросила она на полтона ниже.

— Говорить не велели.

— Кто не велел? — Перед моим мысленным взором возникло лицо сестрицы с вытаращенными глазами.

— Я не могу тебе все рассказать, я слово дала.

— Твое слово ничего не значит.

— Это ты так думаешь. А здесь все очень серьезно. Короче, я помогаю искать убийц, если их найдут, у меня никаких хлопот не будет и я преспокойно вернусь домой. Но скоро не жди. Ты же знаешь, как у нас ищут.

— Да ты меня с ума сведешь, — взревела Светка медведем. — Во что ты опять вляпалась?

— Ничего объяснять не буду, не могу. Мне и звонить-то не велели. Ты не беспокойся. У меня все хорошо. Почти. Я сама уже практически не беспокоюсь. Будет возможность, позвоню. — И, не слушая Светкиных возражений, я торопливо отключилась. Лучше не стало, и я заревела, от этого, кстати, пользы тоже никакой. Я накрылась с головой одеялом и запретила себе впадать в отчаяние.

Утром, кое-как позавтракав, я отправилась на пляж. Во время завтрака исподтишка разглядывала публику, пытаясь отгадать, есть среди них потенциальные враги или они еще не объявились? Все вместе и каждый в отдельности вызывали подозрения. Особенно мужчины, хотя и женщины после истории с Региной, с моей точки зрения, ничуть не лучше. На пляже я и вовсе разволновалась. Стоило кому-то приблизиться, и я начинала дрожать как осиновый лист и, кажется, даже заикаться. По крайней мере, когда один из лежащих неподалеку мужчин спросил у меня, который час, я с трудом произнесла: 10.30.

Он улыбнулся, а я забралась под шляпу, то есть накрыла ею лицо, повадками здорово напоминая страуса. После двенадцати народ стал расходиться, мне возвращаться в гостиницу не хотелось, но и лежать в гордом одиночестве тоже. В общем, я так и не решила чего хочу, искупалась, прилегла на полотенце с намерением обсохнуть и тут услышала шаги. Пляж был галечный, и под ногами шуршало. Я замерла, шаги приблизились и вдруг стихли в опасной близости. Безуспешно пытаясь унять нервную дрожь, я высунулась из-под шляпы. Рядом присел мужчина в светлых брюках и футболке, с такой зверской физиономией, что я лишь жалобно пискнула и с ужасом уставилась на него, а потом подумала: «Где там моя охрана, черт побери, самое время им появиться».

— Софья Сергеевна? — спросил мужчина и попытался улыбнуться, лучше бы он этого не делал, улыбка подозрительно напоминала волчий оскал, я даже с перепугу подумала: «Укусит», но заставила себя не сходить с ума или, по крайней мере, не торопиться с этим. Первым побуждением было сказать «нет», может, тогда он уберется восвояси? Но, вспомнив об Аркадии, пожизненном заключении и прочих обещанных благах, я, помедлив, ответила:

— Да. — И добавила строже: — А в чем дело?

— Идем, — сказал он, убрав улыбку и мотнув головой в неопределенном направлении.

— Куда? — посуровела я.

— Идем, и без глупостей. — Он выпрямился, нимало не сомневаясь, что я поднимусь и последую за ним. Так и вышло.

Я поднялась, нервно запихнула в рюкзак свои вещи, натянула шорты и уставилась на него. Он молча пошел с пляжа. Сердце мое даже не стучало, оно металось в груди туда-сюда со страшной скоростью, я хватала ртом воздух, боясь лишиться сознания. Одна мысль вселяла надежду: где-то здесь Аркадий с товарищами, если меня сейчас укокошат, их замечательная операция сыграет в ящик, впрочем, если вмешаются, результат тот же. «Надо думать о чем-то оптимистичном», — посоветовала я себе, глядя на широкую спину сопровождающего. Мы покинули пляж, и в тенечке, чуть в стороне, я увидела перламутрово-зеленый седан «Мицубиси», к нему этот тип и направился, а у меня даже дар речи пропал, я просто стояла и таращила глаза.

— Садись, — предложил парень, он был убежден, что отказаться я не посмею. Я и не посмела, подошла и плюхнулась на сиденье рядом, правда, нервно оглянулась, но это был скорее жест человека, прощающегося с этим миром, чем надежда на помощь. Он повернул ключ в замке зажигания, и мы только что не взлетели. Кто таким психам выдает права, для меня загадка, я вжалась в сиденье, поспешно пристегнувшись, и глаза закрыла, все это имело одно преимущество: я могла думать лишь о том, чтобы куда-нибудь доехать, не свернув при этом шею, так что о других опасностях даже не вспомнила. Он притормозил, а я приоткрыла глаза. Очам предстал участок горной дороги, совершенно пустынной, но и с нее мы сворачивали, здесь начиналась проселочная дорога, впрочем, и дорогой-то ее можно назвать с большой натяжкой, тишина стояла кладбищенская, и это сравнение мне не понравилось. Впереди показался шлагбаум, парень его просто объехал, при этом полтора колеса зависли над пропастью, но его это вроде бы не смутило. Может, у него зрение плохое? Я покосилась на своего спутника, пытаясь разрешить этот насущный вопрос, он взглянул на меня угрюмо и вновь сосредоточился на дороге, которая, кстати, как раз и закончилась. Впереди стоял одноэтажный дом из серого камня, по виду совершенно нежилой. Впечатление оказалось обманчивым, заслышав шум двигателя, на крыльце появился мужчина в шортах и безрукавке, стоял и ждал, когда мы поднимемся к нему.

Я вместе со своим спутником покинула машину и с отчаянием огляделась. Место глухое и мрачное, сравнения с кладбищем вполне заслуживало, рядом отвесный склон, вниз лететь замучаешься, и хоронить не надо. Подобные мысли оптимизма не прибавляют, я попыталась порадовать себя картинкой: где-то рядом залегли Аркадий с Павлом, но легче не стало.

— Это она? — спросил хозяин жилища, обращаясь к моему спутнику, тот кивнул, и мужчина перевел взгляд на меня. — Ты кто? — спросил хмуро. Вот так здрасьте... Сначала спрашивает, я ли это, а потом интересуется, кто я такая. Где у людей логика?

— Вас интересует мое имя? — кашлянув, спросила я.

— Меня интересует, откуда ты взялась?

— Может, войдем в дом и поговорим спокойно? — неожиданно вмешался мой спутник, говорю «неожиданно» потому, что до той минуты считала его кем-то вроде мальчика на побегушках, лишенного права голоса, но заговорил он на равных. Хозяин нахмурился, но в дом вошел.

Мужчине было лет сорок, может, больше. Физиономия плоская и злобная, глазки-буравчики взирали на мир без интереса. Скверный тип. Он пугал даже больше, чем мой спутник. В том хоть чувствовалось, что если даже кости он любому легко переломает, но без нужды и руки не поднимет, может, по лености, а может, у него философия такая, а вот второй, пожалуй, кости мог крушить из любви к искусству, просто ради удовольствия. Парочка что надо. Если даст бог ноги унести, поставлю свечку... нет, десять. Взглянув еще раз на хозяина, я пообещала сто, но легче не стало.

— Садись, — кивнул мой спутник на кресло, сам устроился на диване. Обстановка здесь была самая простая, правда, камин имелся, но выглядел не декоративным украшением, а самой что ни на есть насущной необходимостью, несмотря на жару, тут было прохладно, пахло плесенью, стены потемнели от сырости, пол рядом с камином в двух местах кто-то прожег.

Хозяин (называю его так, потому что представиться он не пожелал, хотя, может, дом вовсе ему не принадлежал), так вот, хозяин облокотился на камин, сверля меня взглядом, и потребовал:

— Рассказывай.

Я было собралась выдать ему свою «легенду», на

заучивание которой потратила не один час, но вместо этого заявила:

— А что, собственно, происходит? — Не иначе как у меня припадок отваги. Глазки-буравчики сверкнули и стали откровенно враждебными. «Укокошит, — похолодела я. — Такому только дай повод... пожалуй, ему и повод не нужен».

— Ты со мной шутки шутить вздумала? — грозно произнес он, а я ответила:

— Я вас не знаю. Кто вы такие, черт возьми? И что, по-вашему, я должна рассказать?

— Кирилл убит? — резко спросил он, а я удивленно подняла брови.

— А кто это?

Он покраснел от злости и даже скрипнул зубами:

— Дурака валяешь? Ну-ну...

— Пытаюсь понять, что происходит, — ответила я.

— Поехала с Юрой, ни о чем не спросив, а теперь... — Он презрительно фыркнул, а я согласно кивнула:

— Я действительно ожидала одного человека, но не уверена, что он один из вас.

— В это время года часто идут дожди, — скривив физиономию, что должно было означать усмешку, произнес мой сопровождающий, которого, как теперь выяснилось, звали Юра, а я ответила:

— В прошлом году мне не повезло, как раз целую неделю была скверная погода. — Юра удовлетворенно кивнул, а хозяин нахмурился еще больше. — Могли бы с этого начать, — проворчала я.

— Ты поехала сюда, не услышав от меня пароль, — над чем-то размышляя, заметил Юра.

— Растерялась, — ответила я, что, кстати, было истинной правдой. — Мне здорово досталось, так здорово, что соображаю с трудом.

— Значит, Кирилла убили? — вновь задал вопрос хозяин.

— Вы же знаете, — отмахнулась я, а про себя подумала: «Интересно, откуда? Впрочем, чему удивляться, раз я в этой истории ничегошеньки не понимаю. Знают и знают. Выходит, эти двое посланы таинственным суперпреступником, возможно, он даже один из них. Любопытно, который? Неужто этот, в шортах? Или все-таки Юра? Конечно, морды у них препротивные и злодейские, но особенно умными не кажутся, а преступник, за которым охотятся все спецслужбы России и прилегающих стран, просто обязан быть умным. А может, он маскируется?» Я перевела взгляд с одного на другого и затосковала: лучше б были дураками, глядишь, жива останусь.

— Что произошло в отеле? — подал голос Юра, и я приступила к изложениею своей «легенды», очень надеясь, что звучит она правдоподобно.

— Я приехала в отель, встретилась с Кириллом, то есть я подозревала, что это он, тот самый парень, что мне нужен, искала подходящего случая заговорить. Неожиданно выяснилось, что не я одна им интересуюсь, в отеле появилась еще одна блондинка, очень похожая на меня. Я насторожилась, точнее будет сказать, перепугалась так...

— Почему? — быстро спросил хозяин.

— Потому что стало ясно: произошла утечка информации. У кого: у вас, у нас? Могу ли я доверять Кириллу в такой ситуации, даже если он назвал пароль? В общем, я нервничала и идти на контакт не спешила, зато девица старалась вовсю. Однако и Кирилл насторожился, не мог понять, что происходит, и с контактом не спешил. Вечером в моем номере устроили засаду, меня пытались убить. Если б не Кирилл... он спас меня, таиться друг от друга стало глупо. В ту же ночь девицу убили, видно, поняли, что номер не прошел и она им стала без надобности. Кирилл убил двоих типов, что напали на меня, трупы вывезли на моторке, подальше от отеля. Я под видом той девицы рано утром освободила ее номер. Шума не поднимали. Но тех типов, что напали на меня, было трое. Один ушел. Кирилл намеревался выяснить, что происходит, мы покинули отель и отправились в кемпинг, то есть вели себя так, будто контакт не состоялся.

— Зачем?

— Чтобы тот человек или люди себя проявили.

— Проявили? — усмехнулся хозяин.

— Да, — с горечью ответила я. — Они и проявили. Кирилл погиб.

— Так что, по мнению Кирилла, произошло в отеле? Он ведь говорил с тобой?

— Кто-то решил обыграть ситуацию в свою пользу. Оттого меня хотели убрать и выслали на встречу с Кириллом своего человека. Когда поняли, что ничего не вышло, подчистили следы.

— Допустим. Тогда почему убили Кирилла?

— Откуда мне знать? Может, другого выхода у них просто не было.

— Гораздо проще убрать тебя еще до встречи в отеле, разве нет?

— Возможно, но они это по какой-то причине не сделали. Если утечка информации произошла у вас, тогда причина ясна: они меня не знали, а вычислили уже в отеле.

— С таким же успехом мог проболтаться кто-то из ваших, — недовольно заметил Юра.

— Мог, — не стала я спорить, — в любом случае, этот человек или люди меня не знали, иначе не складывается.

— Черт... но этот человек должен быть в курсе происходящего, то есть... — Он не договорил, но я поняла, что он имел в виду, и согласно кивнула:

— Конечно. По этой причине девушку и убили. Мы не смогли до него добраться, по крайней мере, быстро.

— Еще вопрос, что мы можем, а что нет, — проворчал хозяин, прозвучало это угрожающе, но я к тому времени так увлеклась, что про страх забыла, вот только бы про осторожность не забыть.

— Ты передала ему то, что должна была передать? — помолчав, задал вопрос Юра и уставился в мои глаза с таким усердием, точно намеревался читать в моей душе, как в открытой книге. Мне что, не жалко. В настоящий момент я говорю правду, это и детектор лжи подтвердит.

— Да. Как только убедилась, что он тот человек, за которого себя выдает.

— И что? — Удивленным поднятием бровей я выразила свое отношение к данному вопросу. — Что это было? — мотнув головой, точно упрямая лошадь, уточнил хозяин.

— А вы не знаете? — насторожилась я, оба переглянулись, хозяин ответил неохотно:

— Конечно, нет. Откуда? Но теперь, когда Кирилл мертв, мы должны знать. Так что это было?

— Половинка банкноты достоинством в один доллар. Вторая была у него.

С минуту они смотрели на меня так, точно на лбу моем появились рога или что-то еще такое же экзотическое.

— И что дальше? — наконец спросил Юра.

— Я должна была ее передать, и я ее передала.

— Просто банкнота и ничего больше?

Я нахмурилась и кивнула.

Мужчины пребывали в задумчивости. Не знаю, что они ожидали услышать, но то, что рассказала я, выбило их из колеи.

— И где она теперь? — первым пришел в себя Юра.

— Была у Кирилла. Когда я обнаружила его труп, проверила бумажник, карманы, обыскала номер, но ее не нашла.

— Выходит, ее забрал убийца? — Я пожала плечами.

О банкноте вести разговор не хотелось, это была скользкая тема. Прежде всего потому, что банкнота до сих пор лежала в моем кошельке, вчера я купила скотч в киоске при гостинице и ее подклеила, чтобы она не отличалась от других. Аркадию я про нее не рассказывала, то есть про саму банкноту поведала, а вот про то, что стащила ее из-под плинтуса, побоялась. Сначала с перепугу просто забыла об этом, потом, когда мне придумали легенду, выходило, что банкнота исчезла после смерти Кирилла (должно быть, действительно исчезла, только не настоящая, а моя, сомневаться в том, что Аркадий самым тщательным образом обыскал домик в кемпинге, у меня повода не было), так вот, когда легенду придумали, в том, что доллар у меня, я рассказать побоялась. Кто ж мне поверит, что я случайно заметила, куда Кирилл ее прятал? Да и вопрос сам собой напрашивался: если я в этой истории лицо постороннее, так зачем мне понадобилось подменять банкноту? Что бы я на это ответила? Просто так, из вредности? Рассмотреть ее захотелось и понять, что в ней такого особенного? А когда легенду вызубрила, и вовсе стало поздно что-то менять. Пусть все считают, что банкнота у убийцы, какая, в сущности, разница? Я ее вчера целый вечер разглядывала, ничего особенного, просто банкнота, и на свет смотрела, и прощупала, и даже над номером голову поломала — ничего, просто долларовая бумажка, сплошное издевательство, ей-богу. Скорее всего, это визитная карточка, опознавательный знак, подтверждающий полномочия Кирилла и Регины. Но теперь у них об этом не спросишь.

— И что нам делать со всем этим? — вздохнул Юра, я его состояние прекрасно понимала.

— На ней было что-то написано? — нахмурился хозяин.

— Нет. По крайней мере, я не заметила.

— А ты хорошо смотрела?

— Мне этого никто не поручал, — отрезала я.

— Полный дурдом, — выразил общее мнение Юра. — Почему ты не вернулась к своим, а поехала сюда?

— У меня не было другого выхода. Кирилл погиб, я позвонила человеку, который меня послал в отель, оказывается, его арестовали. Связаться с ним нет никакой возможности. Я надеялась, что, если продолжу маршрут, появится кто-то из ваших. Тогда и будем решать, что делать.

— Похоже, мы знаем так же много, как и ты, — хмыкнул Юра. — В жизни не чувствовал себя таким идиотом.

— У меня положение еще хуже, — решила пожаловаться я. — Мне вовсе ничего не известно. Мой знакомый попросил меня об одолжении, на первый взгляд совершенно пустяковом: немного пожить в дорогом отеле, встретиться с человеком и передать ему половинку банкноты. Вместо этого...

— Я сейчас заплачу, — съязвил хозяин. — Если все так, как ты рассказываешь, почему бы тебе не вернуться к своему дружку? Пусть у него голова болит.

— Я же говорю, он арестован.

— А его приятели?

— Его друзей я не знаю, если вы об этом.

— Очень интересно. Выходит, никто, кроме него,

не может подтвердить, что ты — это ты? А он сам в тюрьме? Очень интересно, — повторил он теперь уже с угрозой.

— А кто может подтвердить, что вы — это вы? А вдруг вы как раз из тех типов, что убили Кирилла? Сообразили, что банкнота сама по себе ничего не стоит, а может, просто ее не нашли, а? Может, Кирилл успел ее уничтожить? И вы отправились на эту встречу, надеясь что-нибудь выяснить?

— Ты не про себя ли рассказываешь? — зло фыркнул хозяин.

— Уймись, Виталий, — влез Юра, — так мы будем препекаться до завтра.

— Я не препекаюсь. Я ей попросту не верю. Что у них там за дела, неизвестно, может, в самом деле кто-то решил отхватить кусок пирога, а может, это ментовские штучки, а? Что скажешь?

— Мы не верим ей, она не верит нам. Что дальше?

— Я думаю, если чуть-чуть поспрашивать...

Вот тут и выяснилось, что на роль храброго подпольщика я совершенно не готова. Меня бросило в жар, и стало так жутко, что хоть ложись и сразу помирай. Но, ясное дело, сразу не получится. Язык они мне развяжут быстро, а как только я расскажу об Аркадии, им и вовсе удержу не будет, знаю я всего ничего, но ведь им это не докажешь. Придется помучиться.

— Человек, который послал меня в отель, сейчас в тюрьме. Я должна была кому-то сообщить, что произошло, и я вам сообщила. Ничего общего с этим делом я больше иметь не желаю. Я хочу уехать домой, а вы как знаете..

— Смотри-ка, — хмыкнул Виталий, — уехать домой... Нет, моя милая, не все так просто. Для начала надо бы убедиться, что ты та, за кого себя выдаешь.

— А я вас ни в чем убеждать не собираюсь. Вы назвали пароль, я рассказала вам о том, что произошло, а теперь делайте что хотите.

— Я хочу... — начал Виталий, но Юра его перебил:

— Хватит. Осточертели ваши пререкания. Между прочим, она права, если б тебе предложили доказать, что ты тот, кто ты есть, как ты стал бы это доказывать? — Несмотря на его зверскую физиономию, я воспылала к Юре братской любовью, в его рассуждениях мне виделся глубокий ум, так что ранее, оценивая его мыслительные способности, я явно погорячилась. — Давайте спокойно прикинем, что мы имеем. Мы знаем, что намечается крупная сделка. Никто из нас не представляет, как найти человека, который стоит за всем этим, остается надеяться на то, что он сам найдет нас.

— Что-то я не понял, — нахмурился Виталий.

— Чего ж тут не понять? — терпеливо принялся растолковывать Юра. — Только Кирилл контактировал с нужным нам человеком, но Кирилл погиб. Так?

— Так, — неохотно согласился Виталий.

— Девчонка тоже ничего не знает. Парень, что ее послал, в тюрьме и для нас недосягаем. Я думаю, утечка произошла с их стороны, оттого парень и оказался в тюрьме, а кто-то из его дружков срочно нашел блондинку этой на замену. Скорее всего, в ее номере как следует пошарили, но ничего не нашли, потому что не знали, что искать, никому и в голову не могло прийти, что это половинка купюры, положи ее среди пачки баксов, и никто не обратит внимания. — При этих словах я невольно нахмурилась. А ну как им придет в голову проверить мой кошелек? «Ну и что? — успокоила я себя. — Банкнота ничем не отличается от других, и перестань клацать зубами, это выглядит подозрительно». — А эти типы, что на тебя напали, тебя допрашивали? — повернулся ко мне Юра.

— Не успели. Кирилл появился вовремя.

— Ребята взяли девку в оборот, но быстро отдали богу душу, что неудивительно: Кирилл свое дело знал. Но, если верить девке, один все же ушел. Возможно, вызвал подмогу, и Кирилл погиб.

— Ага, позволил зарезать себя, как свинью...

— На каждого мудреца довольно простоты. Лично я всегда считал, что он чересчур высокого мнения о себе. Вот и довыпендривался.

— Если утечка идет от вас, — вмешалась я, хотя, будь у меня ума побольше, молчала бы в тряпочку, — тогда, возможно, человека, который его убил, Кирилл не опасался, ведь это кто-то из своих, оттого его и застали врасплох. — В тот момент я интуитивно почувствовала, что в сказанном что-то есть, уж очень легко Кирилл отмахнулся, услышав от меня о человеке в кемпинге, показавшимся мне знакомым, спросил у служащего фамилию, но взглянуть на него даже не удосужился, неужто не интересно? А ведь после происшедшего в отеле должен был быть настороже.

— Мысль ничего себе, — пожал плечами Юра, — но тут одна закавыка: если утечка у нас, то как могли знать, кто выйдет на связь, чтобы подготовить замену? Раз знали об этом Кирилл и сам хозяин («хозяином он, должно быть, называл того самого суперпреступника», — машинально отметила я). Нет, это кто-то из ваших.

— Девица появилась позднее. Следили за Кириллом, обратили внимание на меня, дальше дело техники.

— Хочешь убедить нас, что провал — наша вина? — разозлился Виталий. — Тут еще разобраться надо...

— Уймись, — поморщился Юра. — Мы гадаем, она гадает, поживем — увидим. Нет ничего тайного, что при желании не стало бы явным.

— Оно станет явным очень быстро, стоит лишь заняться девкой.

— А если не станет? — в свою очередь разозлился Юра чужому упрямству. — А девка сдохнет или покалечим сильно. И что? Будешь объяснять, что плохого не хотел, об общем деле пекся? А кто-нибудь решит — неспроста все, и Кирилла в расход, и девку вслед за ним.

— Ты чего это? — возмутился Виталий. — Чего городишь? — В голосе его слышался страх, хоть он и старался его скрыть.

— Вот-вот, думай башкой-то, прежде чем что-то сделать. — Теперь Юра казался не только весьма рассудительным молодым человеком, но даже симпатичным. — Прикинем дальше, — не спеша продолжил он. — Лишь один человек знает, где и когда пройдет операция, связаться с ним мог Кирилл, ну и еще твой дружок, разумеется, — кивнул он мне. — Но если он в тюрьме парится, вмешаться не может. Даже если бы мы знали, как выйти на хозяина, он нам не поверит, и правильно, я бы тоже не поверил. Теперь дальше: раз мы очень быстро узнали, что Кирилл мертв, значит, и твой друг узнает, даром что в тюрьме, и сможет связаться с нужным человеком. И тот решит, что делать и как нам об этом сообщить. Остается только ждать.

Мне его речь очень понравилась, ждать я готова сколько угодно, лишь бы не грозили и дали возможность пожить спокойно. И Аркадий будет доволен. Жду, делом занята, суперпреступник, о котором они так тоскуют, обязан в конце концов объявиться, в общем, все чем-то заняты и все довольны.

— Ждать, — передразнил Виталий. — А если те, кто убил Кирилла, знают, где произойдет обмен, а? Если они на всех парах мчат туда и уже сегодня огребут все?

— И как ты им помешаешь? — хмыкнул Юра.

— Поспрашиваю девку, — зло ответил Виталий. «Далась я ему...»

— Ну, поспрашивай, — произнес Юра и перестал казаться мне симпатичным. — Завалишь дело...

— Его уже завалили. Говорю, эти типы на всех парах...

— Как они могли узнать? Как? Кирилл им сказал?

— Почему бы и нет?

— Девка говорит, он даже вскрикнуть не успел.

— И ты ей веришь?

— Не знаю, — подумав, ответил Юра. — Самое верное — сидеть и ждать.

— Ждать... Да я как подумаю...

— Тогда лучше не думай. Все. С базаром завязали. Хозяин не глупее нас с тобой и, почувствовав неладное, наверняка все отменил.

— А если он...

— Если да кабы... Выждем пару дней.

— А с этой что? — кивнул он на меня.

— Ничего. Тоже подождет, спешить ей некуда. Если дружок в тюрьме, все равно не приласкает, — подмигнул мне Юра.

— Никакой он мне не дружок, — обиделась я. — С чего вы взяли? Он просто попросил...

— Да я помню, — охотно кивнул он. — Тем более торопиться некуда.

— Я и не тороплюсь.

— Вот и отлично. Опять же, если убийцы Кирилла вытянули пустышку и теперь репы чешут, непременно здесь объявятся, девку искать будут.

Лучше бы он этого не говорил, мир потерял для меня всякую прелесть. Встречаться с убийцами в мои планы не входило, хоть и эти двое ничуть не лучше.

— Не верю я ей, — упрямо повторил Виталий.

— Ну и не верь. Поглядим, заодно и проверим, — закончил Юра и поднялся. — Поехали, — кивнул он мне.

— Куда? — нахмурился Виталий.

— Отвезу ее в гостиницу.

— А если сбежит? — ехидно спросил Виталий.

— Догоню и живой в землю зарою, чтоб не баловала. Не забалуешь, красавица? — широко улыбнулся он.

— Что я, сама себе враг? — отозвалась я, мысленно пожелав ему провалиться.

— То-то. Потому как, если сбежишь, без проверок ясно — мозги пудрила, оттого и боишься.

— Я и в самом деле боюсь, хоть мозги и не пудрю. Кто знает, что вам в голову втемяшится, — разозлилась я.

— Честному человеку нечего бояться, — изрек Юра с довольной миной.

— Да? — не поверила я. — А вы на себе проверяли?

— Ты смотри как заговорила, — подал голос Виталий.

— Мне ваши угрозы уже в печенках. Если выяснится, что мозги пудрили вы... короче, я еще посмотрю, как вы сами в землю зароетесь, метра на два. — Аркадий был бы мною доволен, я совершенно бесстрашная. Должно быть, это от глупости. Я решительно зашагала к двери, Юра последовал за мной, Виталий остался в доме. — Если эти типы в любой момент могут появиться, — немного поразмышляв по дороге над открывающимися перспективами, начала я, обращаясь к Юре, — может, есть смысл держаться вместе?

— Переживаешь? — усмехнулся он.

— Еще бы. Мне даже заплатить не обещали, сказали: отдохнешь в дорогом отеле, и вот вам, здрасьте, отдых называется.

— Сочувствую, — ответил Юра серьезно. — Надеюсь, ты не рассчитывала, что мы вот так запросто тебя отпустим? Кстати, в гостинице полно наших ребят, но тебе их знать ни к чему.

— А вы не врете? — усомнилась я. — Хотелось бы быть уверенной, что я под надежной защитой. — Он только хмыкнул и отвернулся.

Юра высадил меня возле гостиницы и, не попрощавшись, уехал. Вопреки всякой логике, я его отъезду ничуть не обрадовалась, запугали меня основательно. Куда ни кинь, всюду клин. Там грозят, здесь грозят, вокруг одни враги, и помощи ждать неоткуда.

Я вернулась в номер и первым делом наревелась досыта. Потом пошла в душ. А что еще делать? Детективчик почитать? Так меня от убийств и прочего уже тошнит. Куплю любовный роман, глядишь, полегчает. Не успела я покинуть душ, как зазвонил сотовый, с полминуты я на него пялилась, потом схватила дрожащими руками.

— Как дела? — поинтересовался Аркадий, я аж подпрыгнула от такой наглости.

— Вы еще спрашиваете? Да я едва жива от страха.

— Ну-ну, не стоит преувеличивать, — с усмешкой заметил он, вот ведь свинья.

— Какого черта вы звоните? — рявкнула я. — А если б эти были рядом? С ума сошли?

— Значит, они объявились?

Я открыла рот и так замерла, правда, ненадолго, потом эмоции поперли со страшной силой.

— Что? — по-змеиному зашипела я. — Так вы даже не знаете? Черт... вы же обещали, как же моя безопасность?

— Вы что хотели, чтобы мы поехали за вами следом?

Я испуганно оглядела комнату и вдруг зарычала:

— Перезвоните через пять минут. — И опрометью бросилась вниз, где был общественный туалет. А ну как эти гады успели подсунуть в номер какую-нибудь штуковину и теперь все слышат? Впрочем, если подсунули, так уже и услышали. Я жалобно вздохнула, призывая своего ангела-хранителя. Напихать всякой дряни в общественном туалете они вряд ли догадались, так что выходит, здесь самое безопасное место. Я устроилась с максимальными удобствами и стала ждать. Сотовый опять зазвонил, а я, понизив голос, принялась выговаривать: — Я понимаю, коли речь идет о вашей драгоценной операции, так моя безопасность для вас — сущий пустяк. Плюнуть и забыть. Но я...

— Успокойтесь, все под контролем. Я был уверен, вы справитесь.

— Вы уверены? А вот я совсем не уверена. Они грозились меня поспрашивать, объясните, что это значит? Отправляйте меня в тюрьму, да хоть к черту, я категорически отказываюсь...

— Если бы вам действительно грозила опасность,

мы бы немедленно вмешались. Я отвечаю за вашу жизнь, можете быть спокойны.

— Спокойна я буду, когда... Боже, зачем я только согласилась.

— У вас не было другого выхода. И сейчас нет.

— Нет, есть. Я хочу в тюрьму. Отправляйте немедленно.

— Пожалуйста, — съязвил он, — только где гарантия, что вы там переживете ближайшую ночь? — Я вновь замерла с открытым ртом, а этот мерзавец продолжил как ни в чем не бывало: — Как прошла встреча?

— На высшем уровне.

— Ну, вот, а вы боялись. Давайте поподробнее.

Превозмогая злость и отвращение, я коротко передала содержание беседы.

— Отлично, — порадовал Аркадий. — Все идет по плану.

— Да что вы говорите...

— Перестаньте паясничать. Они будут ждать, а нужный нам человек непременно себя проявит. Этот Юра рассуждает совершенно правильно.

— Рада за вас и за Юру. А мне что делать?

— Ждать. И не нервничать. По возможности. Главное, помните, пока вы честно выполняете свою часть работы, вы в абсолютной безопасности.

— Твоими бы устами да мед пить, — проворчала я, отключившись, посидела еще немного и побрела к себе.

Весь вечер я проторчала в номере, даже ужинать не выходила, а перед тем как лечь спать, подперла дверь тумбочкой, хотя разве тумбочка поможет, когда вокруг такое?

Ночью был шторм. Море шумело и к утру не утихло. Пляж выглядел мало привлекательно, волнами выбросило на бёрег всякую дрянь, купаться удовольствия никакого, и не позагораешь. Постояльцы гостиницы бродили по территории с несчастными лицами, я им завидовала: одно у людей горе — скверная погода, мне бы их проблемы.

Я тоже бродила по территории и приглядывалась. Юра говорил, у них тут везде свои люди, вот их я и старалась высмотреть. Само собой, все казались подозрительными. Даже дед в панамке, кого он намеревается поймать своим сачком? Тоже мне, любитель бабочек. Ясное дело, сплошное запудривание мозгов. Чем дольше я за ним наблюдала, тем подозрительнее он казался. А что, если это он, тот самый суперпреступник? Замаскировался, а эти олухи его ищут. Поняв, что такое направление мыслей способно завести очень далеко, я купила любовный роман и вернулась в номер. Тут меня поджидал сюрприз. Дверь была не заперта. А когда я ее в легкой панике толкнула, ожидая всего, вплоть до очередного трупа, увидела, что в кресле сидит проклятущий Виталий. Первой моей мыслью было: обыскивал номер. Лыбится так подло, неужто чего нашел? Банкнота в кошельке, кошелек в сумке, а сумка у меня в руках. Немного успокоившись, я прошла и спросила:

— Какого черта вы здесь делаете?

— Тебя жду, — ответил он, продолжая ухмыляться.

— Дождались, и что дальше?

— Любовные романы читаешь? — хмыкнул он, кивнув на книгу в моих руках.

— Читаю. Это делает меня еще подозрительнее?

— Храбришься? — спросил он с подлой усмешкой. — Знаешь, что рыльце в пушку.

— Тогда ваше, в густой шерсти. Знаете что, катитесь отсюда.

Он хихикнул, не сдвинувшись с места. «Огреть бы его чем», — с тоской подумала я, вместо этого села на кровать и тоже на него уставилась.

— Так где ты, говоришь, пряталась двое суток, после того как Кирилла убили?

— Двое суток — явное преувеличение, — поправила я.

— Хорошо, пусть преувеличение. Так где?

— Сначала поехала домой на перекладных, потом перепугалась, решила, что там будут ждать, и просто пряталась.

— Где? — ехидно спросил он.

— В горах. Хотите, чтобы место указала? Так я его не помню.

— Что, вот так в горах и сидела?

— Не вот так, а с чемоданом. Потом жрать захотелось, от этого соображать начала лучше. Опять же на перекладных отправилась сюда.

— Считаешь себя умной, да? — ядовито спросил он.

— Считаю, — беспечно кивнула я, ему сие, конечно, не понравилось, но меня в тот миг это волновало мало, он успел так меня достать, что очень хотелось послать его.

— Считай, только и поумнее тебя люди сыщутся. — По тому, как он это сказал, стало ясно: что-то мерзавец затеял, а может, и осуществил уже, больно рожа сияла довольством. Виталий перегнулся ко мне и произнес: — Твой дружок смог сообщить из тюрьмы, что послал на встречу девицу по имени Регина.

— Точно. Ушакову Регину Петровну. — Я поднялась, из чемодана с потайным отделением достала паспорт и протянула Виталию. Паспорт мне вручил Аркадий, и в нем, естественно, была моя фотография. Виталий недовольно уставился на нее, нехотя вернул документ.

— Здесь ты под чужим именем?

— Тебя это удивляет? — Я решила с ним не церемониться, в самом деле, с какой стати?

— Для ментов паспорт не проблема. И то, что описание тебе подходит, тоже ничего не значит. Но я не Юра, мозги работают. — Я презрительно фыркнула, давая понять, что сильно сомневаюсь в этом. — Рано радуешься, твой дружок смог передать еще кое-что.

— Что? — спросила я без всякого волнения.

— Он указал на парня, который с тобой любовь крутит. Он-то тебя знать должен, верно?

— Полагаю...

— А ты его знаешь?

— Хочешь, чтобы я всех своих парней по именам перечислила? Не дождешься.

— Ну и не надо. Вечером едем к нему, готовься к встрече. Поди соскучилась?

— Еще бы, — кивнула я, но было уже вовсе не смешно и даже страшно.

С довольным видом Виталий направился к двери, взялся за ручку, подмигнул мне и исчез, а я повалилась на кровать. «Это ловушка. Конечно, ловушка. Он все нарочно придумал, чтобы заставить меня сбежать. Вот сукин сын. А если не придумал, если в самом деле у Регины был друг, которого этот тип нашел? С него станется. Но почему тогда Аркадий не знал об этом друге?»

При мысли об Аркадии я бодро вскочила и с сотовым в кармане рванула в общественный туалет, номер для экстренной связи я помнила наизусть, торопливо набрала его и, услышав «да», завопила:

— Они нашли любовника Регины.

— Какого любовника? — растерялся Аркадий, я только жалко простонала:

— Да что у вас за спецслужба такая? Вы мне клялись, что Виктор, который меня якобы сюда послал, сидит за решеткой, как за семью печатями, и не только выбраться не сможет, но и ни словечка не передаст, а он не словечко, он...

— Успокойтесь, — заговорил Аркадий в своей обычной манере. — Не понимаю, что вас так сильно взволновало?

— Не понимаете? Зато я понимаю, вечером мы едем к этому любовнику. Он скажет, что я вовсе не Регина, смерть моя будет мучительной, а ваша долбаная операция сыграет в ящик. Теперь понимаете?

— Подождите, вы уверены, что любовник Регины существует?

— Вы меня спрашиваете? Нет, это даже интересно, честное слово. Спецслужба задает мне забавный вопрос: был ли у Регины любовник и может ли сн в настоящее время обретаться где-то поблизости? Это я вас должна спросить... Нет, все, хватит, везите в тюрьму.

— У вас дурная манера каждый раз впадать в истерику, — попенял мне Аркадий. — Уверяю, все под контролем.

— Так как зовут любовника? Должна я знать, как обратиться к человеку при встрече?

— Никакой встречи не будет, можете не беспокоиться.

— Но...

— Можете не беспокоиться, — весомо повторил он, и мне ничего не осталось делать, как проститься.

День я провела точно на иголках. Аркадию я не очень-то верила, еще меньше верила Виталию. Погода скверная, я сидела на балконе в пижаме, закутавшись в одеяло, и пыталась решить, чего стоит ждать от жизни. Ясно, что ничего хорошего, но что конкретно?

В шесть часов в дверь постучали. Я выбралась из кресла и пошла открывать, на пороге стояли страшно довольный Виталий и позевывающий Юра.

— Привет, — сказал он вполне дружелюбно. — Чем занимаешься?

— Отдыхаю, чем мне еще заниматься?

— Собирайся, к любимому поедешь, — радостно возвестил Виталий.

— Что он задумал? — спросила я Юру, не обращая внимания на чужое счастье. Юра дипломатично пожал плечами. — Болтает о каком-то любовнике...

— У тебя их что, десяток? — влез Виталий.

— Два, — порадовала я. — Так который из них?

— Скоро узнаешь, — пообещал он таким голосом, что я только подивилась: когда и чем успела насолить человеку, коли в нем столько ненависти ко мне?

— Нам сообщили, что тут неподалеку есть парень, который может тебя опознать. Тот, кто тебя послал, ему доверяет, — спокойно пояснил Юра.

— Кто сообщил? — нахмурилась я, вопрос остался без ответа.

— Прокатимся, тут недалеко, — вновь пожал плечами Юра, — по крайней мере, Виталик успокоится, верно?

— Я знаю другой способ его успокоить, — не удержалась я. — Откуда мне знать, что вы затеяли? Назовите хотя бы имя, чтобы знать, к кому еду.

Юра отрицательно покачал головой:

— Зачем тебе имя, раз скоро встретитесь.

— Ага. А то твои друзья менты и этого в тюрьму упекут, пока до него доберемся, — усмехнулся Виталий.

— Как ты мне надоел, — покачала я головой. — Форменный придурок. Сидите и ждите, я в ванную переодеться, а ты можешь припасть ухом к замочной скважине, — кивнула я Виталию, — чтобы убедиться, что у меня там передатчика нет.

— Припаду, — посуровел он, чувствовалось, что насмешки он не жаловал. — Давай побыстрее.

— Побыстрее не могу, к любовнику еду, надо соответствовать.

Я не торопилась, да и с какой стати? Хоть и говорят, перед смертью не надышишься, но я решила попробовать. По крайней мере, перед кончиной буду чудо как хороша. Когда я появилась из ванной, Юра широко улыбнулся, а Виталий нахмурился.

— Я готова, — сообщила я, — поехали.

— Эй, — весело позвал Юра, — может, пошлешь своего любовника и обратишь внимание на скромного парня вроде меня? Со мной весело.

— Я подумаю, — кивнула я серьезно. Конечно, такой дружок, как Юра, мне бы и в страшном сне не привиделся, но если Аркадий опять лопухнется... Может, хоть помру легко, без лишних мучений.

Мы покинули номер, я бросила ключ в сумку, гадая, понадобится он мне или нет, и вместе с мужчинами направилась к машине. Она стояла прямо напротив входа. Я поспешно огляделась, пытаясь определить, Аркадий по соседству или ему и дела мало до моих проблем. Я-то полбеды, а как же его любимая операция? Ведь накроется... Он твердо обещал, что до предполагаемого любовника мы не доедем. Но если тот вдруг сядет в тюрьму, это будет очень подозрительно, тут Виталий прав.

Между тем мы загрузились в машину, Юра сел за руль, а Виталий сзади, я устроилась впереди, не рядом же с ним сидеть. Виталий сидел за моей спиной, и хоть я всерьез и не планировала на ходу из машины выпрыгивать, но теперь и этот вариант отпадал.

Мы поднимались в гору, я смотрела в окно, а Виталий спросил:

— Волнуешься?

— Ага. Интересно все-таки, кого вы нашли.

Вдруг справа на обочине появилась милицейская машина, Виталий громко скрипнул зубами, а я едва не заорала в досаде. Если это затея Аркадия, он просто идиот. Однако ничего заслуживающего внимания не произошло, инспектор козырнул, проверил у Юры документы и пожелал счастливого пути.

— Твои дружки? — прошипел Виталий.

— Может, твои? — съязвила я. — Уж больно ты их часто поминаешь.

Через двадцать минут мы подъезжали к городу. Юра петлял по узким улочкам, застроенным симпатичными одноэтажными домами, а я стала волноваться. Ясно, что мы близки к цели, а между тем Аркадий... провалиться бы этому недотепе... только попозже, пусть прежде меня спасет.

Мы начали спуск к морю, впереди возникло огромное сооружение, я прочитала вывеску на фасаде и подумала, что шикарная гостиница, скорее всего, пункт прибытия, тот самый, куда я прибыть не должна.

Юра загнал машину на стоянку, вышел, Виталий тоже, и я на ватных ногах последовала за ними. Я отказывалась верить в реальность происходящего. Что-то должно произойти... вот сейчас... нет, вот сейчас...

— У него бунгало возле бассейна, — махнул рукой Юра, и мы потопали по дорожке в том направлении.

Может, террорист захватит отель и спецслужбы начнут спешную эвакуацию? Тишина-то какая, господи. Но если не террорист, тогда что? Мы уже подходим. Вот бассейн, вон бунгала красивым полукругом, которое из них? Я облизнула пересохшие губы, мы подошли к третьему по счету, и Юра постучал в дверь.

— Да, — отозвался мужской голос. — Открыто.

Юра распахнул передо мной дверь, и я вошла, потому что ничего другого не оставалось. Глаза у меня были раскрыты, но я мало что видела, должно быть, пребывала в полуобморочном состоянии. «Надо бежать, — подумала как-то вяло. — Здесь полно людей, они не посмеют...»

— Регина, — ахнул кто-то совсем рядом. — Вот так сюрприз. Какими судьбами?

Я ошалело замерла, затем заставила себя открыть рот, пискнув:

— Привет.

В трех шагах от меня стоял мой недавний знакомый Александр, с которым мы выслеживали ночных воров, теперь он предстал моим очам в шортах с голой грудью и бутылкой пива в руках, глаза его сияли от счастья, а улыбка растянула губы от уха до уха.

— Радость моя, как ты меня нашла? — Он поставил бутылку на стол, шагнул ко мне, обнял и запечатлел на моих устах поцелуй, обе его руки нырнули под мое платье, приподняв подол на критическую высоту. Меня слегка покачивало, а в голове ни одной мысли, совсем ни одной.

— А это кто? — прекратив эксперименты с подолом, внезапно спросил Александр, глядя поверх моего плеча. Я повернулась и промямлила:

— Так... подвезли по дороге.

Юра взирал с грустью, может, всерьез верил, что мы подружимся, а теперь, глядя на моего «возлюбленного», понял, что вряд ли, а Виталий покраснел от досады. Саша шагнул в сторону, извлек из тумбочки бумажник, а из него сто баксов, небрежно протянул Виталию и спросил:

— Нормально?

Не знаю, как того инфаркт не хватил. Юра усмехнулся и открыл дверь, Виталий вышел, еще раз взглянул так, точно собирался прожечь во мне дырку, но тут дверь закрылась, а я перевела дух и посмотрела на Александра. Он продолжал расточать улыбки, что, с моей точки зрения, выглядело неуместно. Но я пребывала в том состоянии, что выразить свои мысли внятно или даже невнятно не могла, рот, правда, прикрыла, но разглядывала его во все глаза, пытаясь понять, как он здесь оказался, впрочем, это волновало меня гораздо меньше, главное, почему он сделал вид, что я Регина? Ведь он назвал меня Региной...

— Надо отметить твой приезд, — принялся хлопотать он. — Что предпочитаешь: шампанское, мартини? А может быть, красное? У меня есть потрясающее вино...

— Прекратите, — смогла вымолвить я. Он сделал страшное лицо, ткнув пальцем в дверь, отчаянно замотал головой, я в страхе повернулась, дверь закрыта, но, возможно, он прав и противный Виталий подслушивает. — Мартини, — отозвалась я, — только безо льда.

— Я помню, моя радость, ты всегда пьешь безо льда. Прошу. — Он протянул мне бокал, я взяла, он обнял меня за талию и полез с поцелуями, я пробовала отстраниться, но он шепнул: — Все должно быть натурально. — И я с перепугу повисла на нем. — Классно выглядишь. Ты похорошела. Каждый раз, глядя на тебя, я думаю: лучше выглядеть невозможно, и каждый раз ты меня удивляешь, становясь еще красивее. Кстати, это правда, — понизил он голос до шепота.

— Кстати, мы встречаемся третий раз, причем вторая встреча произошла в кромешном мраке.

— При свете ты красивее, чем во мраке кромешном.

— Уберите руки, я помню, что все должно быть натурально, но не до такой же степени.

Он ненадолго отлепился, я смогла выпить и поставила бокал на стол.

— Еще? — спросил он. Если честно, я сильно нуждалась в выпивке, но, взглянув в лицо Александра, в глазах которого весело отплясывали черти, сказала себе «обойдешься» и ответила:

— Спасибо, не надо.

— Тебе стоит быть оживленнее, — шепнул он, приблизившись. — Побольше радости и все такое...

«Вдруг здесь записывающее устройство? — озарило меня. — И нас подслушивают?»

— Как ты тут оказался? — задала я вопрос с живостью.

— Ты так внезапно исчезла, я почувствовал себя сиротой, потом подумал, может, отдохнуть пару дней, развеяться. И вот я здесь.

— Вы...

— Детка, мы же любовники, — шепнул он. — Какое к черту «вы»?

— Ты давно тут?

— Дня три, не помню точно... Да, три дня, я соскучился, — заявил он проникновенно и вновь полез с поцелуями.

Я замерла, соображая, что теперь делать-то? Потом уперлась руками в его грудь и прошептала:

— Еще раз протянешь свои лапы, так врежу... — Я гневно сверкнула глазами, одернула подол и шепотом продолжила: — Здесь эта штука?

— Что? — тоже шепотом спросил он.

— Штука, при помощи которой подслушивают.

Он почесал в затылке и пожал плечами.

— Ты думаешь?.. — спросил с сомнением.

— При чем тут что думаю я и что вообще я могу думать? Это твой номер.

— Мой, — согласился он, — но о штуках я ничего не знаю.

— Тогда почему все должно быть натурально? — подозревая подвох, проявила я интерес.

— Надо вживаться в образ.

— Какой еще образ? — перешла я с шепота на повышенные тона, но тут же сникла, косясь на дверь.

— Мы же любовники. Если эти типы что-то заподозрят...

— Но они ушли.

— К сожалению, не навсегда.

Я с трудом сделала пару шагов и плюхнулась в кресло. Посидела, подумала и спросила:

— Что происходит?

— Это ты у меня спрашиваешь? — ахнул Саша.

— У кого же мне спрашивать?

— Уж точно не у меня. Я вообще ничего не понимаю...

— Подожди, подожди. Ведь ты знаешь, что я не Регина. Ведь знаешь?

— Конечно. С Региной мы неоднократно встречались, она симпатичная девушка, но до тебя ей далеко. Ты просто... высший класс. Ей-богу. Я с трудом сдерживаюсь, чтобы не заключить тебя в объятия. Надеюсь, ты пойдешь мне навстречу. Женщина просто обязана идти навстречу мужчине, который ее спас. Ведь я тебя спас, верно? А прошу такую малость...

— Какую? — нахмурилась я, соображала я в тот миг неважно.

— Э-э... — заметно озадачился он. — Я хотел сказать, ты и я, почему бы нам не стать ближе друг другу, я имею в виду...

— Теперь это называется малостью? — взревела я, пораженная его нахальством.

— Детка, обещаю, ты не пожалеешь, я буду очень стараться.

— Я вас в психушку сдам, — заявила я сурово. — Немедленно прекратите.

— Мы опять на «вы»? Ведь договорились?

Тут я сообразила, что сижу здесь уже довольно давно, черт-те чего успела наслушаться, но главного так и не узнала.

— Стоп, — предупредила я, заметив, что Саша открыл рот, чтобы выдать очередной перл, — я хочу знать, почему вы солгали этим людям?

— Ты солгал, — поправил он. — Мы на «ты», и не возражай.

— Хорошо. Так почему ты солгал? И без долгих отступлений. Желательно, одним словом.

— Одним не могу. Могу попробовать двумя. Помогаю Родине. А еще красивой девушке. Если честно, сначала красивой девушке, а потом уже Родине.

Хотя я ее очень люблю и так обрадовался, когда она обо мне вспомнила, что чуть не умер от счастья. И не смотри так, это чистая правда.

— В двух словах все равно не получилось, — сказала я, сообразив, что нарвалась на страшного болтуна.

— Я старался, честно.

— И что там Родина? — кашлянула я, начиная догадываться.

— Родина явилась в образе туповатого парня в костюме и при галстуке, и это при жаре в тридцать градусов. Стало ясно, если Родина при параде, она не шутит и с собой шуток не потерпит. Родина представилась Павлом, Павлом Игнатьевичем, и предъявила удостоверение.

— Ясно, — вздохнула я.

— Вот-вот, я забился в конвульсиях от счастья, а Павел мне: так, мол, и так, Александр Иванович, как гражданин вы должны помочь и содействовать. Само собой, я ответил, что с огромной радостью. И тут же получил задание. А когда он показал твою фотографию, подумал, нет худа без добра, ты мне еще в отеле понравилась, я даже решил, неплохо бы нам познакомиться поближе. А теперь мы любовники, и это открывает большие перспективы. — Вроде бы он все объяснил, но понятнее от этого не стало, все еще больше запуталось. — Ты должна мне помочь, — вдруг заявил он, а смотрел так, что разом стал похож на кота: щурится, мурлыкает и вот-вот облизнется.

— Помочь? — переспросила я, решив, что ослышалась.

— Конечно. Это вам, секретным агентам, все нипочем, пистолет в трусиках, нож в бюстгальтере, а я скромный парень... Я боюсь.

— Кого? — опять спросила я и тоже начала бояться.

— Всех. — На этот раз он был лаконичен. — Родину и этих двух мордастых, что тебя привезли, тоже боюсь.

Я посмотрела на него внимательно и заявила:

— Полно врать-то. Не похож ты на трусливого: морду стрющил, а в глазах черти.

— Я притворяюсь, храбрюсь из последних сил. На самом деле я отчаянно трушу, потому что Родина Родиной, но собственная шкура — шкурой, моя мне не то чтобы слишком нравится, а просто привык.

— Хватит болтать, — рявкнула я.

— Молчу, — сказал он с готовностью. — Павлик сказал, командир у нас ты, а я парень с понятием. Так что не стесняйся. Если чего надо, за пивом там или еще... Но поддерживать мой боевой дух ты просто обязана, не то раскисну, впаду в депрессию или того хуже: категорически откажусь отдавать Родине свой долг. Долгов у меня как грязи, одним больше, одним меньше — разницы никакой.

— У меня болит голова, — с тоской сообщила я, подозревая, что теперь головная боль мне обеспечена надолго.

— А у меня душа. За тебя. Ты такая бледненькая... и ручки у тебя крохотные, пальчики... А приемам карате тебя учили? Только не вздумай меня через спину перебрасывать, я этого не люблю. А рожица у тебя и вправду бледненькая. Что, завалили работой? Надо вам, секретным агентам, время от времени отдыхать. Не бережете себя, все в трудах, все в заботах.

— Что ты мелешь, какой из меня секретный агент? — обиделась я.

— Да ладно, брось, Павлик мне все рассказал, ну, может, не все, но я же не дурак. Сообразил. Тебе надо привязать меня к себе покрепче, — сообщил он с умным видом.

— Веревкой? — заинтересовалась я.

— Нет, узами невидимыми, но крепкими. Во всех фильмах, которые я видел, агентша непременно спит с простым парнем, который подворачивается ей под руку, а потом его так разбирает, что он сметает все преграды на ее пути. Проверенный способ, на фига велосипед изобретать. Обещаю сокрушить всех... кто послабей.

— Ну и болтун, — покачала я головой. — Просто уши вянут.

— Это я от волнения. — Он налил себе и мне выпивки, ненадолго заткнулся, а я задумалась.

— Как они тебя нашли? — спросила я минут через десять. — Я имею в виду Павла.

— А чего меня искать? Я здесь несколько дней. Живу себе. И не прячусь.

— Я имею в виду... Ты хорошо знал Регину?

— Ты уже спрашивала. Конечно, хорошо. Мы с ней были дружны некоторое время. Но она из тех девчонок, которым скучно с простыми ребятами вроде меня. И она кинулась на шею одному олуху.

Если честно, я их сам и познакомил. Намного счастливее она не стала, и мы то сходились, то опять расходились. Она неплохая девушка, если разобраться, чокнутая немного, зато в постели полный отпад. Эй, говорят, вас этому специально учат, покажешь класс?

— Да заткнись ты, придурок.

— Ты не должна оскорблять меня, — скроил он забавную физиономию. — Мы же на работе. Ты-то уж точно. Держи себя в руках, а то нажалуюсь.

— Рассказывай дальше, — попросила я.

— Про этику служебных отношений?

— Про Регину.

— А-а... Ну, мы в очередной раз разбежались, мне стало тоскливо, и я умотал сюда. Завел подружку, черненькая... хотя мне больше нравятся блондинки. Ну, все вроде нормально, вдруг звонит один знакомый, говорит, Регина в этих краях, отель назвал. Я подумал, может, за мной рванула, соскучилась. Поехал в отель, спросил: есть такая? Есть говорят. В номере девчонку не застал, на пляже тоже. Дождался вечера, пошел на дурацкий фуршет, спрашиваю у тамошней бабы, где, мол, Регина Петровна из такого-то номера, а она тычет пальцем в титястую девку, которая так же похожа на Регину, как я на японца. Чудеса, думаю, потом вспомнил, с кем теперь Регина дружбу водит, и решил, что это Витькины штучки. И спокойненько отбыл отдыхать, что и делал до того момента, пока на мою голову не свалился Павлик.

— Что это за Витька? — нахмурилась я.

— Ну-у... на этот вопрос так просто не ответишь. Один мой знакомый, со скверным характером и большими деньгами, а также с переодически возникающими трениями с законом. Кажется, в настоящий момент он отдыхает в камере-люкс с видом на тюремный двор.

Я слушала и постепенно впадала в депрессию. Аркадий вместе со своим Павлом — форменные сумасшедшие: довериться такому типу, да где у них мозги? Впрочем, что им оставалось делать, они любимую операцию спасали. Но ведь этот болтун личность совершенно ненадежная, да он сразу же сообщит своим дружкам, что я никакая не Регина, если уже не сообщил. Правда, при Юре и Виталии он вел себя образцово, но они-то в его друзьях не числятся, так чего ему особенно о них заботиться, а вот Виктор... это как раз один из тех людей, кто участвует в операции, о которой я до сих пор ничегошеньки не знаю.

— Вы друзья? — спросила я тревожно, надо признать, немного невпопад.

— С кем? — насторожился Саша.

— С этим... Витькой.

— С какой стати? Вот уж выдумала. Ты вообще-то меня слушаешь?

— Но как же так? Он же послал этих типов к тебе, чтобы ты подтвердил, что я Регина. Значит, доверял тебе?

— А что ему оставалось делать, раз здесь только один человек, который хорошо ее знал? А насчет доверия, пальцем в небо. Не очень-то мы друг друга жалуем. Он гнусный тип, о чем я ему неоднократно говорил. И Регину втянул в свои скверные игры, неудивительно, что для нее они плохо закончились. Не могу сказать, что пылаю жаждой мести, но и не откажусь подсунуть этому типу изрядную свинью.

— Так ты знаешь, что ее... — растерялась я, не в силах вымолвить слово «убили».

— Конечно. По-твоему, с какой стати я согласился помогать Родине? Девчонка мне нравилась, и она не заслужила того, чтобы какой-то урод... Как ее убили?

— Я не знаю, — ответила я. — Она пыталась сбежать. Видимо, чувствовала, что ей грозит опасность. Она была так напугана... — Я вдруг заревела, должно быть, сказалось напряжение этого вечера, я очень боялась, потому что не верила в помощь спецслужб и не верила, что смогу выпутаться из этой истории, ясно, что Аркадий хоть триста раз готов рискнуть жизнью, не своей, разумеется, а моей, лишь бы... А еще было жаль Регину. Я представила, как она лежит там, на этом острове...

— Эй, — позвал Саша. — Ты чего? Секретным агентам плакать не полагается.

Я торопливо вытерла глаза кулаком, забыв про косметику, разозлилась на себя, достала платок и привела лицо в порядок.

— До свидания, — сказала я, поднимаясь.

— Куда ты? — удивился он.

— В гостиницу.

— Подожди. В какую гостиницу?

— Я живу в нескольких километрах отсюда.

— Да? И что там за гостиница?

— Довольно убогая.

— Тогда зачем тебе жить там? Ах, ну да, ты же на задании. Слушай, мне кажется, ребята заподозрят неладное, если ты не останешься у меня.

— Они получили подтверждение...

— Нет-нет, ты не права. Этот Виталий представляется мне довольно злобным типом и недоверчивым. Вряд ли он вот так сразу успокоится, и если вдруг его что-то насторожит...

— Но мне надо ехать.

— Вовсе нет. Веди себя естественно. Мы встретились, ты во мне души не чаешь... Кстати, как мне тебя звать?

— Не знаю, — озадачилась я. — Наверное, Регина. Хотя нет, ведь в гостинице я остановилась под другим именем.

— Беда с секретными агентами. Столько имен, запутаешься. Но ведь есть же настоящее? Извини, но называть тебя Региной язык не поворачивается.

— Зови Софьей.

— Так тебя зовут Софьей? В самом деле или это еще один псевдоним?

— Тебе-то что?

— Просто интересно. Ладно, Софья так Софья... лучше я буду звать тебя Беби. Это никого не удивит, и нет риска запутаться.

— Зови как угодно, — шагнула я к двери, — тем более что вряд ли мы еще хоть раз встретимся.

— Ничего подобного. — Он шустро поднялся и оказался рядом. — Беби, ты ничего не поняла. Я теперь тоже секретный агент, и не смотри так, это не моя идея, а Павлика. Он рассчитывает, что рядом со мной ты в безопасности. По крайней мере, я всегда могу позвать на помощь.

— Это очень смешно, — согласилась я. — Только не мне, должно быть, я не в том настроении.

— Тем более тебе следует остаться. Мужское плечо и все прочее... — Он взял меня за руку и притянул к себе, я попыталась вырваться, но не тут-то было, оттого и прекратила свои попытки.

— Если ты думаешь, что я останусь здесь ночевать и ты...

— Что это? — вдруг спросил он и пояснил: — Что с твоей головой?

— Меня пытались убить.

— Да, жизнь агента не сахар. Садись вот сюда.

— Зачем? — насторожилась я, но уже села.

— Осмотрю твою голову.

— Ты что, врач?

— Да, — кивнул он, я, конечно, не поверила.

— В самом деле врач?

— Разумеется. Почему тебя это удивляет? Я добрый доктор Айболит. Лечу зверушек, лягушек и ставлю градусники бегемотам.

— Ты ветеринар? — догадалась я.

— Ну... а какая, в сущности, разница? Ты ничуть не хуже любой собаки. — Болтая подобным образом, он достал рюкзак из шкафа и извлек из него кожаную сумку, похожую на косметичку, только больших размеров. На свет божий появились лекарства, шприц и даже скальпель.

— Не надо, — пискнула я.

— Надо. К примеру, наложить шов. Волосы у тебя густые и очень красивые, уверяю, будет незаметно, я лишь чуть-чуть выстригу вот здесь.

— И я буду похожа на чучело.

— Не будешь. Рана небольшая, но глубокая, это опасно, можно занести инфекцию, к тому же так она очень долго не затянется.

— Я боюсь. Будет больно.

— Что за разговорчики? Секретный агент должен уметь сам себе удалить аппендикс, какой-то ты агент не настоящий. Больно не будет, я тебе обезболивающий укол сделаю.

— Собачий?

— Говорю, ты ничуть не хуже. Ну, зрение не то, нюх тем более, бегаешь плохо, а так ничего... — Я подумала, стоит обидеться или нет, и мысленно махнула рукой. — Глаза закрой, чтоб саму себя не пугать, и все будет хорошо.

Глазки я закрыла, а он сделал мне укол, после чего мысли в моей голове начали путаться, затем я ни с того ни с сего принялась рассказывать ему свою биографию, впрочем, это должно быть происходило во сне. Он меня спрашивал, а я отвечала. Потом появился Аркадий, и я на него накричала, он стал меня уговаривать не беспокоиться, а я в сердцах послала его к черту. «Сон», — подумала я, потому что рядом с Аркадием увидела сестрицу и ее мужа, оба были печальными и с сомнением качали головой. Потом я куда-то бежала и очень боялась опоздать.

Вдруг все разом кончилось, я открыла глаза: сквозь

плотно задернутые шторы пробивалось солнце. Я лежала на кровати, прикрытая простыней. Рядом сладко сопел ветеринар Саша, натянув простыню на самую макушку. Мое платье заботливо разложено на кресле, чтобы не помялось. Я хотела возмутиться, но напомнила себе: «Он врач. Хоть и собачий. И я ничем не хуже его пациентов, так он, по крайней мере, уверяет».

Я осторожно поднялась, потянулась за платьем, и тут он проснулся.

— Дай водички.

— А-а...

— В холодильнике, — пробормотал он, переворачиваясь на другой бок. Я взглянула на часы: половина седьмого, встала, надела платье и пошла искать холодильник.

Выбор напитков оказался богатым, но он сказал «водички», я достала минералку, налила в стакан и отнесла ему. Он высунул нос из-под простыни, выпил и, прищурившись, посмотрел на меня.

— Как дела?

— Меня тошнит, — призналась я, раз уж он у нас доктор.

— А чего вскочила ни свет ни заря? Родину по утрам спасать не надо, она еще спит. — Он юркнул под простыню и скоро засопел, а я огляделась, не зная, что делать.

Утро раннее, и неизвестно, смогу ли я сейчас добраться до своей гостиницы, с другой стороны, совершенно невозможно лежать в его постели. Я осторожно вышла на открытую веранду. Было очень тихо, и почему-то хотелось плакать. Я устроилась в кресле и стала наблюдать за работой уборщиков, которые вскоре появились у бассейна.

— Эй, — услышала я совсем рядом, открыла глаза и с удивлением поняла, что сижу на веранде, возле бассейна появились первые энтузиасты, ноги мои заботливо укутаны пледом, а друг животных стоит в трех шагах и весело посмеивается. — Пора завтракать, — сообщил он. — Кстати, звонил кто-то из твоих друзей. Спросил Регину, я послал его к черту. Не обидишься?

— Пусть он обижается, — ответила я и сладко зевнула.

— Завтрак уже в номере. Хочешь, устроимся здесь?

— Я только умоюсь.

— Ты и так выглядишь прекрасно. Мордаха маленько измученная, но это лучше, чем огнедышащий взгляд борца за идею. Терпеть не могу эмансипированных женщин. Ну за каким чертом тебя понесло в секретные агенты? По башке получать? Вот уж радость.

— Что ты пристал? — разозлилась я. — Никакой я не секретный агент. Просто под руку подвернулась. Пригрозили тюрьмой, что мне было делать?

— А тюрьмой за что?

— За трупы.

— Иди ты... Кого пришила?

— С ума сошел? Я помогала Кириллу, потому что... дура, одним словом.

Саша поставил поднос на стол, там были кофе,

рогалики, джем и масло, и принялся уминать все это за обе щеки, не забывая болтать.

— Ты ешь, ешь, — потчевал он меня. Я выпила чашку кофе. — Кто такой Кирилл? — В этом месте я насторожилась.

— Мне велели молчать об этом.

— Кто велел?

— Аркадий... из спецслужбы.

— А-а... тогда молчи. Выходит, ты не секретный агент. Не знаешь, кто убил Регину?

Я не донесла рогалик до рта, положила на тарелку, внимательно глядя на Сашу.

— Ты любил ее, да? И хочешь найти убийцу?

— Само собой. Любил и хочу. Все хорошие парни в кино, которые я смотрел, всегда хотели.

— Прекрати... — нахмурилась я. — Тебе просто нравится изображать из себя циника. А на самом деле ты согласился сотрудничать только для того, чтобы найти убийцу.

— От тебя ничего не скроешь, — вздохнул он и добавил с надеждой: — Ты мне поможешь?

Я облизнула губы.

— Я не могу... Они отправят меня в тюрьму, правда, отправят. К тому же я так ничего и не поняла. Толку от меня никакого.

— Это уж мне судить. Рассказывай, — заявил он, глядя на меня светлыми глазами, в них читалась насмешка, но я почему-то была уверена, что за ней он прячет боль.

Я представила себе Регину, и мне вдруг стало обидно: она казалась совершенно обыкновенной девушкой, а теперь выяснилось, что кто-то любил ее так, как меня никогда и никто не любил. Эти мысли показались мне недостойными, и я совершенно неожиданно для себя ответила:

— Хорошо.

И все рассказала. Саша слушал внимательно и хмурился, чем больше слушал, тем больше хмурился.

— Выходит, они просто тебя используют, — заявил он, имея в виду Аркадия и компанию. — Очень похоже на Родину.

— Родина здесь совершенно ни при чем, — отмахнулась я.

— Может, и так, — внезапно согласился он. — Я даже не удивлюсь, если они, прикрываясь мамулей, на себя работают.

— Ты думаешь, они жулики? — понижая голос до шепота, спросила я. — А как же удостоверения? Ведь ты видел удостоверения? И вертолет...

— Удостоверения я видел, но это не аргумент. Для меня-то уж точно. А вертолет... вертолет — это хорошо, но купить его может любой придурок, были бы деньги.

— А как проверить?

— Что?

— Ну... настоящие они или нет?

Он поскреб затылок с самым серьезным видом.

— Хрен знает. Но как-то надо. Мы поступим мудро: сделаем вид, что слушаем маму с папой, я имею в виду, этих с удостоверениями, но и сами начнем смотреть в оба, чтобы в случае нужды внести свои коррективы.

Звучало весьма расплывчато, но меня и это приободрило. Есть на кого свалить неприятности. Зазвонил телефон, Саша снял трубку и передал ее мне. На том конце провода Виталий сильно гневался.

— Какого черта ты не в гостинице?

— Что случилось? — ахнула я, делая страшные глаза, Саша перегнулся через стол, стараясь быть ко мне поближе.

— Ничего не случилось, — нехотя ответил Виталий. — Между прочим, тебя сюда не с любовником трахаться посылали, а...

— Никто не говорил, что я безвылазно должна сидеть в гостинице. И кончай орать, надоел уже. — С этими словами я повесила трубку и с затаенной гордостью взглянула на Сашу, ожидая похвалы. Он пребывал в задумчивости. Так ничего и не дождавшись, я кашлянула и заметила: — Наверное, в самом деле пора возвращаться.

— Я поеду с тобой, — заявил он.

— В гостиницу?

— Конечно. Ты здорово рискуешь, и я хочу быть рядом. Может, пользы от меня немного, но хоть душа за тебя не будет болеть.

Я кивнула, правда, сначала я хотела сказать ему что-нибудь такое... в общем, чтобы он понял, как я ему благодарна, но потом решила, что это может выглядеть навязчиво, чего доброго подумает, что я... «Он любит Регину, — напомнила я себе, — то есть любил. А он симпатичный, — подумала я не к месту. — И профессия у него хорошая, ветеринары должны быть добрыми людьми». Тут в голову пришла другая мысль, и я выпалила:

— Где ты познакомился с Виктором?

— Что? — Он приоткрыл рот и так ненадолго замер.

— Где вы познакомились? Ведь где-то вы должны были познакомиться?

— А-а... Я у него собаку лечил. Мастиф, зовут Вупи. Хорошая собака. Были проблемы женского характера, пришлось делать операцию. — Я наблюдала за ним, пытаясь решить: врет или нет. По всему выходило, не врет. Взгляд затуманился воспоминаниями, и собаку ему в самом деле было жаль.

— А Регина? — не отставала я.

— А Регина в то время работала у меня медсестрой. Мы вместе выхаживали собачку, потом Витька ее куда-то пригласил, Регину я имею в виду, и пошло-поехало, в смысле большой любви. От меня она уволилась и начала заниматься темными делишками, хотя я звал ее обратно и место держал целых полгода. — Саша поднялся и вздохнул: — Теперь, когда ты все выяснила, мы можем ехать?

— Конечно, — кивнула я.

Такси вереницей выстроились возле гостиницы, и я направилась к ним, но Саша подхватил меня под руку.

— У меня машина. — И повел меня на стоянку, где вскоре очам моим предстал огромный «Лексус», а все подозрения разом ожили в моей душе.

— Должно быть, в вашем городе все держат по десятку собак, — съязвила я.

— Ты об этом? — кивнул он на машину. — Между прочим, я неплохо зарабатываю. У меня частная клиника, собачья, разумеется. Ко мне народ из Москвы едет, собачек везет. И не надо так смотреть. Попроси своего Павлика, он тебе всю мою подноготную обскажет, небось все раскопал до седьмого колена.

Мне стало неловко, и я сочла необходимым пояснить:

— После всего, что произошло, поневоле станешь подозрительной.

— Только это тебя и оправдывает, — кивнул он, и мы поехали ко мне в гостиницу.

К обеду пошел дождь, мы с Сашей сходили в ресторан, после чего устроились на балконе пить чай. Похоже было, что никто мною не интересуется и Виталий волновался напрасно.

День прошел незаметно, часов в восемь собрались в ресторан ужинать. Вот тогда и раздался звонок на мобильный, звонил, конечно, Аркадий и, судя по голосу, был недоволен.

— Вы не слишком много времени проводите с этим молодым человеком? — спросил он с намеком на сарказм.

— Как же иначе, раз он мой любовник? — не осталась я в долгу. — Между прочим, это вы мне его подсунули.

— Человека, который выйдет с вами на связь, присутствие этого субъекта может насторожить.

— Хорошо, — буркнула я и отключилась, решив не принимать его слова близко к сердцу.

— Родина с претензиями? — усмехнулся Саша.

— Они правы, твое присутствие может помешать встрече.

— Ты не о встрече должна думать, а о своей безопасности.

Обсуждать это мне не хотелось, вряд ли Аркадия заинтересуют мои доводы.

— Идем ужинать? — вздохнула я.

— Идем.

Гостиница хотя и не могла похвастать особыми достижениями в области сервиса, но и отставать от других не хотела. В ресторане играл ансамбль из пяти человек, пели вполне сносно. Затем выступили танцоры, и я с удивлением поняла, что видела их раньше, они танцевали в отеле, в ночь, когда зарезали Регину. После этого появление фокусника меня не удивило.

— Он выступал в отеле, — наблюдая фокус с картами, сказала я Саше.

— Этот парень? — спросил он без особого интереса. — Ничего удивительного, они кочуют по всему побережью.

Я согласно кивнула, продолжая наблюдать, и вновь, как и в прошлый раз, фокусник произвел на меня довольно странное впечатление. Было в нем что-то настораживающе неправильное.

— Ты любишь фокусы? — вдруг спросил Саша.

— Что? Нет, не очень.

— Тогда чем он тебя так заинтересовал?

— Не знаю, — подумав, пожала я плечами. — Он выступил той ночью, когда... Ты понимаешь? Возможно, по этой причине, когда я смотрю на него, на душе становится тревожно.

— А парень занятный, — понаблюдав немного, сказал Саша. — Руки до чего ловкие, такие очень бы подошли карточному шулеру, хорошо что он выступает на эстраде, а не облапошивает дураков на пляже. Душно здесь, — резко сменил он тему. — Кондиционер, что ли, не работает? — Я особой духоты не чувствовала, но согласно кивнула. — Может, пойдем отсюда? — предложил Саша. Я опять-таки согласилась, он расплатился, и мы покинули ресторан.

Ветер дул с моря, я зябко поежилась.

— Поехали ко мне, — обняв меня за плечи, сказал Саша.

— Зачем? — испугалась я, стараясь высвободиться.

— Не дергайся. Ты озябла, вон мурашки на руках. Номер у тебя паршивый, чего в нем мучиться. Кровать узкая, вдвоем можно спать только друг на друге, но ты ведь не согласишься? А в кресле я не хочу, у меня спина больная.

— Ты можешь поехать к себе, — предложила я без особой охоты. — Сам видишь, здесь спокойно. А завтра утром...

— Все самое страшное всегда происходит ночью. И не спорь. — Спорить с этим было затруднительно, памятуя о недавних событиях. — Короче так, либо мы мучаемся на твоей кровати, либо с комфортом устраиваемся в моей. В ту ночь я тебя не съел и в эту не буду, так что не бойся. Так что? Поехали?

— Хорошо, — неожиданно легко согласилась я, напоминание о том, что все плохое происходит ночью, произвело впечатление, а кровать в моем номере действительно слишком узкая для того, чтобы на ней устроиться вдвоем. — Только сбегаю в номер, возьму кое-какие вещи.

— Жду в машине, — кивнул он.

Я прошла по пустому холлу, лифт не работал, что не очень-то огорчило, жила я на втором этаже. Поднялась по лестнице, дежурной за столом не оказалось, я хотела взять ключ, но ящик, где они хранились, был заперт.

Я терпеливо ждала возвращения дежурной, поглядывая по сторонам, и вдруг поймала себя на мысли, что боюсь. Только вот чего, не знаю. Я испуганно огляделась, жалея, что рядом нет Саши, а потом возникло чувство, что за мной наблюдают. Коридор, лестница, холл по-прежнему пусты, но чувство только усилилось, в конце концов страх стал таким нестерпимым, что я громко позвала, не рассчитывая на удачу:

— Простите, нельзя ли получить ключ.

К моему удивлению, вторая дверь по коридору мгновенно открылась и появилась дежурная.

— Извините, — улыбаясь, попросила она, — решила чаю попить.

Она вручила мне ключ, и я заспешила по коридору, посмеиваясь над своими страхами, и вдруг замерла ни с того ни с сего. Кто-то точно за мной наблюдал. «Сумасшедший дом», — пробормотала я, но страх уже всецело овладел мной, сжимая сердце.

Я открыла дверь и, не закрывая ее, нащупала выключатель, когда свет вспыхнул, тревожно огляделась. В номере ни души. Звонок телефона заставил меня подпрыгнуть, я схватила трубку, ожидая чего угодно. Звонил Саша.

— Почему так долго свет не включала? — буркнул он. — Все в порядке?

— Ага, — обрадовалась я. — Дежурной на месте не оказалось.

Я наконец закрыла дверь, подумала и заперла ее, потом быстро побросала в сумку необходимые вещи, взяла кофту, чтобы не злоупотреблять Сашиной добротой, то есть пиджаком, и вышла из номера. Заперла дверь и вдруг поняла, что возвращаться к дежурной не хочу. Не хочу, и все. Я положила ключ в сумку и направилась к пожарной лестнице.

Холл по-прежнему выглядел пустынным, только в кресле сидел мужчина и читал газету. Я скользнула к боковому входу, сама не зная, от кого прячусь, уже достигла его, когда мужчина свернул газету, и я увидела в темном окне, как в зеркале, его лицо: жуткую белую маску. Я уже собралась закричать, когда поняла: это фокусник. Человек ждет, когда объявят его номер, и спокойно читает газету. «Белая горячка», — злясь на себя, пробормотала я укоризненно и все же была рада, что за колонной он не может меня видеть.

Саша терпеливо ждал меня возле машины, должно быть, физиономия у меня была испуганная, потому что он сразу спросил:

— Что случилось?

— Ничего, — ответила я, подумала, стоит ли рассказать ему о моих страхах? Теперь они показались ужасно глупыми, и я решила: не стоит. — Ничего, — повторила поспешно, — просто не уверена, что поступаю правильно.

Он помог мне устроиться в машине, и мы поехали в отель.

Войдя в бунгало, он повел себя довольно странно: присел возле двери, лишь только включил свет, и принялся что-то там рассматривать, затем выпрямился и предложил:

— Будь как дома.

Я покосилась на него, чувствуя, что веду себя как последняя дура: мужчина предложил мне остаться у него на ночь, и я согласилась. Что он обо мне подумает? Конечно, об этом следовало побеспокоиться еще в гостинице, а не сейчас, когда я, стоя столбом в его номере, пялюсь на единственную кровать.

— Я устроюсь на диване, — сказала я тоном, как мне казалось, не терпящим возражений.

— Не создавай проблем, — отмахнулся он. — В конце концов, у нас общее дело, мы почти что партнеры.

— А что, партнерам так уж необходимо спать в одной постели? — продолжала язвить я, хотя с какой стати? Не похоже, что он жаждет заключить меня в объятия. В общем, выглядело все это довольно глупо, но сей факт еще никого не останавливал, не остановил и меня.

— Если тебя так сильно все это беспокоит, можно по старинному обычаю положить меч посередине, правда, меча нет, но я стяну в ресторане нож, сойдет на худой конец. Мы будем считать его мечом, а другим не скажем, пусть и они думают, что меч. Ну, как?

— Обойдемся без ножа, — нахмурилась я, заподозрив, что надо мной издеваются, и прошествовала в ванную, гордо вскинув голову. Вероятно, выглядело это комично, выражение Сашиного лица сделалось таким, что становилось ясно: он с трудом сдерживает смех. Нечего говорить, как больно ранит насмешка чуткую женскую душу. Моя была чрезвычайно чувствительна, а если честно, то и изрядно избалована: как правило, мужчины взирали на меня с обожанием, на худой конец, с вожделением, и нате вам, сплошные насмешки в мой адрес. — Я этого не переживу, — пожаловалась я своему отражению в зеркале, заперевшись в ванной, собралась зареветь, но, обнаружив в себе остатки достоинства, слезы сдержала.

Когда я покинула ванную, чувствуя себя Жанной д'Арк, великой воительницей, которая мигом укажет мужчине его место, выяснилось, что старалась я совершенно напрасно: Саша сладко спал, завернувшись в покрывало на своей половине кровати. Я нырнула под одеяло, решив с затаенной печалью: «Он ее очень любил».

Разбудил меня телефонный звонок. Я взглянула на часы и перепугалась: стрелки показывали 4.20. Конечно, не этот факт напугал меня, а то, что звонят в такую рань. Ясно, что-то случилось. Саша проснулся, а я шепотом сказала:

— Телефон. — И даже кивнула в его сторону, как будто он сам ни в жизнь бы не догадался.

Саша снял трубку, буркнул «да» и нахмурился, после чего передал трубку мне. Поначалу я решила, что голос Юры звенит от злости, потом поняла — он сильно взволнован.

— Где ты? — спросил он, чертыхнулся и заметил: — Ах, ну да... Ты со своим парнем?

— Естественно, — буркнула я, решив быть несговорчивой и сердитой, потому что в глубине души была уверена, что претензии с его стороны небезосновательны: как ни крути, мне полагалось жить в гостинице.

— Когда ты уехала?

— Не помню точно, часов в двенадцать. А что случилось?

— Значит, у себя ты не ночевала?

Вопрос был глупым, раз звонил он Саше в номер и только что слышал мой ответ, но язвить по этому поводу я не стала, потому что к тому моменту поняла: случилось что-то весьма неприятное, и Юра вовсе не злится, парень растерян, если не сказать испуган. С этим он, конечно, никогда не согласится, но дела это не меняет. Оттого отвечала я со всей возможной доброжелательностью.

— Я собиралась вернуться утром...

— Может, и хорошо, — задумчиво сказал он, чем окончательно сбил меня с толку.

— Что хорошо? — рискнула спросить я.

— Хорошо, что не ночевала.

— Ты что, пьян? — не выдержала я. Вместо того чтобы разозлиться, Юра разочарованно вздохнул:

— Нет. Но очень бы хотел напиться. Вот что, — вновь вздохнул он, но теперь заговорил гораздо увереннее, — бери такси и кати в гостиницу. Буду ждать тебя на стоянке, одна в гостиницу не суйся. Поняла?

— Да ты мне скажешь, что случилось? — ударилась я в панику и перешла на трагический шепот: — Кто-нибудь появился?

— Да. Нет. Не знаю. Короче, приезжай. — И повесил трубку, а я еще некоторое время сидела, открыв рот.

— Появились? — спросил Саша, приподнимаясь на локтях и глядя на меня с большим интересом. Так как Юра дал на этот вопрос два взаимоисключающих ответа, я ограничилась пожатием плеч, а потом вскочила и спешно начала собираться. Саша последовал моему примеру, но преуспел больше: я еще возилась с прической, а он уже ждал меня возле двери.

— Юра велел приезжать мне, — заметила я неуверенно. — О тебе речи не было.

— Я скажу ему, что мы сиамские близнецы.

— Он не знает таких слов, — усомнилась я.

— Я ему их растолкую.

Дорога не заняла много времени, я смотрела в окно и гадала, что мне приготовила судьба. Очень хотелось позвонить Аркадию и заставить его куда-нибудь бежать сломя голову ни свет ни заря, но здравый смысл победил желание насолить ближнему; прежде чем звонить, не худо бы узнать, что произошло.

Узнали мы об этом через пять минут после того, как въехали на стоянку. Я заметила машину Юры, а потом и он сам появился из ближайших кустов с видом заговорщика и стыдливого воришки одновременно. Для первого он был слишком растерян, для второго чересчур тверд в желании выполнить свою миссию до конца.

— Привет, — сказал он мне и кивнул Саше, никак не выказав своего отношения к его присутствию, облизнул губы и спросил: — Ничего подозрительного вчера не заметила?

— Нет. А в чем дело?

— Выходит, тебе просто повезло.

— Ты мне скажешь, что случилось? — зашипела я, уже не надеясь, что когда-нибудь услышу ответ на свой вопрос.

— Виталия убили, — понизил он голос, я вытаращила глаза, а он продолжил: — Сегодня ночью. В твоем номере.

Мы переглянулись и на некоторое время замолчали, так сказать, усваивая информацию.

— В моем номере? — подала я голос.

— Ага. Думаю, шлепнуть хотели тебя, а он подвернулся случайно. Хотя в таком деле никогда наверняка не скажешь.

Тут уж мне вовсе сделалось не по себе, и я жалобно взглянула на Сашу, если он добровольно взял на себя миссию по моему спасению, так сейчас самое время меня спасать.

— Что он делал в ее номере? — задал вопрос Саша, Юра слегка поморщился и посмотрел на меня с укоризной.

— Говори, — хмуро сказала я. — Сейчас не время играть в прятки.

— Он тебе не доверял, — ответил тот с неохотой, — хотел пошарить в номере, а заодно поставить «жучок», чтобы знать с кем и о чем ты болтаешь. Должно быть, он видел, как вы уехали, и пошел в номер, чтобы не спеша заняться делом. И получил по башке чем-то тяжелым, а потом для верности ему полоснули ножом по горлу. Я ждал часов до трех, потом начал беспокоиться, позвонил на мобильный, ответа нет, поехал сюда. Тачка его с той стороны возле забора, свет в номере не горит. Я поднялся и нашел его.

— Он что, и сейчас там лежит? — ахнула я.

— Лежит, — вздохнул Юра. — Там везде кровища... Его запихнули под кровать. Я даже нашел его не сразу, то есть не сразу заметил, только когда увидел кровь на полу...

— О господи, — пробормотала я, чувствуя, что бледнею. — Но если он там... тогда как же... что же мне-то делать?

— Не знаю, — честно ответил Юра. — Труп надо убрать. Придется повозиться, но... не это меня беспокоит. Все твои вещи перерыли, может, конечно, это Виталий постарался, но, сдается мне, в игру вступил кто-то еще и настроен серьезно. Кирилл, теперь Виталий... Думаю, очередь за тобой. Если он, конечно, не нашел того, что искал, — добавил он, с сомнением глядя на меня.

— Что, интересно?

— Не знаю. Но этот тип что-то ищет.

— Долларовую банкноту? Так это лишь условный знак.

— Может, так, а может... Одному мне этих дел не решить. Есть светлые головы, вот пусть они и думают.

— А как же труп? — окончательно перепугалась я, трупы мне в принципе не нравились, а когда он лежит в твоем номере, а ты знать не знаешь, как все объяснить...

— Сейчас его выносить опасно, — сказал Юра, — придется дождаться ночи.

Все это время Саша скромно помалкивал, стоя рядом с отсутствующим видом, — труп на него впечатления не произвел и чужие проблемы не волновали, оттого сделалось обидно.

— В вашем благородном семействе завелся Иуда, — ни с того ни с сего заявил он, когда я и надеяться перестала.

— Что? — не очень-то впечатлился Юра, особо сообразительным он не был, а тут даже я ничего не поняла.

— Говорю, Иуда у вас завелся, — с придурковатой улыбкой повторил Саша. — Змею на груди пригрели. Пустили козла в огород. Теперь понятно?

Теперь Юра вовсе ничего не понял, но слово «козел» показалось ему обидным, и он заявил:

— Сам ты козел.

— Прекратите, — возмутилась я. — Нашли время выяснять отношения.

— Я не выясняю, я втолковываю, — продолжал гнуть свое Саша. — Кто-то из ваших работает на себя, оттого и появились трупы.

— Почему это из наших? — насторожился Юра.

— Ну, это совсем просто.

— Серьезно? Может, объяснишь?

— А чего объяснять? Шлепнули ваших парней,

отсюда вывод: тот, кто это сделал, их знал, оттого и шлепнул. Мешали.

Данные слова Юру смутили и заставили задуматься, хотя он продолжал посматривать недоверчиво.

— С таким же успехом это может быть кто-то с другой стороны. Девчонку они знали, возможно, и убить хотели ее, а Виталий оказался в номере случайно, вот и пришлось...

Лучше бы он этого не говорил, я сразу вспомнила вчерашнее ощущение и разволновалась до такой степени, что стало ясно: еще немного — и я упаду в обморок без всякого корсета. Мыслимое ли дело: меня опять хотели убить. Кто, за что и где этот Аркадий, провалиться бы ему ко всем чертям.

Мысль об Аркадии неожиданно придала мне силы, он-то обязан знать, что происходит, правда, особо в это не верилось.

— Мне-то что делать? — растерянно спросила я.

— Сматываться, — флегматично заметил Саша, — пока не поздно.

— А труп? Где он, кстати? — Последние слова я адресовала Юре.

— Под кроватью, конечно, — буркнул он. — Где же еще?

— Боже, — только и могла пискнуть я.

— Значит, так, — сказал Саша, — собирай вещи и...

— Мы не можем его там оставить, — нахмурился Юра, и я согласно кивнула:

— Конечно, не можем. Как, интересно, я объясню наличие трупа в своем номере?

— Труп — твоя проблема, — осчастливил Юру Саша. — Моя — девчонка. Я хочу, чтобы она жила долго и счастливо. Ваши дела мне по барабану. Мы уезжаем.

— Какой шустрый, — хмыкнул Юра. — Уезжаем... Она поедет туда, куда прикажут. И ты здесь не командуй. Жди меня в номере, — кивнул он мне. — На дверь повесь табличку «Не беспокоить».

— Я не хочу сидеть в номере с трупом, — разозлилась я.

— Иди и делай что говорят. — С этими словами Юра повернулся и зашагал к машине.

— Пойдем, — позвал Саша, взял меня за руку, и мы направились по аллее.

Чувствовала я себя так скверно, что, казалось, хуже не бывает. Через минуту выяснилось: я, как всегда, была не права. Бывает. Сначала я увидела машину. Она показалась подозрительно знакомой, однако стояла так, что номера не разглядеть, и оттого я впадать в панику не стала и даже продолжила разговор.

— Сейчас же позвоню Аркадию, — горячо зашептала я Саше, когда мы поравнялись с машиной. — Пусть он прекратит все это.

— Он не прекратит, — вздохнул Саша и не к месту добавил: — Мыши плакали, кололись, но продолжали есть кактус.

— У тебя странное чувство юмора, — возмутилась я и вот тогда услышала:

— Деточка, как я рад тебя видеть.

При звуках этого голоса я глухо простонала, а потом повернулась, дабы убедиться, что это не дурной сон. Возле машины стоял былой возлюбленный и улыбался так зазывно, а смотрел так ласково, что теперь и тюрьма была пустяком, и трупы, так, ничего особенного. Об одном я всерьез жалела, что дожила до этой встречи, нет бы скончаться чуть раньше. Рядом с Левой китайской стеной замерли трое здоровяков с постными лицами, а Лева, продолжая улыбаться, пошел мне навстречу, раскинув руки, точно собирался заключить меня в объятия.

— Что ты здесь делаешь? — нахмурилась я.

— Странный вопрос. Ты так неожиданно меня покинула. А мне казалось, все у нас прекрасно. На кого ты меня променяла, детка? Вот на этого придурка? — Он молниеносно выбросил вперед кулак, и Саша оказался на асфальте, слабо охнул, приподнялся, вытер лицо и с неудовольствием покачал головой, увидев кровь на ладони.

— Прекрати, — завопила я и даже отважно шагнула навстречу своему врагу, что дало Саше возможность встать, впрочем, не очень-то он спешил, должно быть, предчувствовал, что скоро вновь окажется на асфальте.

— Ты меня очень огорчила, — погрозил мне пальцем Лева. — Садись в машину. А твоему любовнику...

— Какой любовник? — возмутилась я. — Ты спятил.

— Давай, расскажи мне сказочку о том, что ты здесь делаешь.

— Очень надо мне сказки рассказывать, — отмахнулась я. Успев хорошо изучить характер былого возлюбленного, я решила наплевать на все секреты и заняться спасением своей жизни. Возможно, это сильно сказано, но крови, без сомнения, он попортит великое множество, и за Сашу я всерьез волновалась, потому и добавила: — Я выполняю ответственное правительственное задание. А он меня охраняет, то есть страхует, или что-то в этом роде.

Лева выразил свое отношение к вышесказанному тем, что плюнул себе под ноги, но вслед за этим скроил заинтересованную мину.

— Признаться, это что-то новенькое, — сказал удовлетворенно. — Ты совершенствуешься. Раньше ты просто уезжала к маме или подругам. Теперь у тебя задание. А любовник, оказывается, не просто любовник, он охранник. Кевин Костнер в звании полковника. Потрясающе.

— Что ты несешь? — возмутилась я. — Ты просто помешался...

— Точно, — перебил он. — Я совершенно помешался от любви к тебе, и чем ты мне платишь, деточка? Ты очень плохо себя ведешь, очень плохо. Знаешь, я устал от этого...

— Вот и отлично. Отправляйся куда-нибудь отдыхать и оставь меня в покое.

— Ты лживая, подлая дрянь, — резко сменил он тон, что, в общем-то, было делом привычным, но опять же не сулило ничего хорошего. Схватил меня за руку и поволок к машине. Кивнул своим парням, и те бойко подхватили Сашу, тот пытался сопротивляться и, разумеется, схлопотал по шее. Я хотела закричать «караул», но бесполезность этого меня остановила: Леву зрители никогда не смущали, потому я попросила вполне душевно:

— Отпусти его.

— Ну уж нет, — усмехнулся Лева так, что сразу стал похож на акулу, каковой и являлся по своей сути. — Пусть ребята немного потолкуют с твоим хахалем. Уверен, любовник из него после этого будет никудышный.

— Прекрати, тебе говорят. Он не любовник...

— Да-да, он охранник. Случайно, не от меня ли он тебя охраняет?

— От убийцы. Меня сегодня едва не убили. Только благодаря счастливому стечению обстоятельств я осталась жива. Погиб другой человек. И перестань скалить зубы, я ничего не выдумываю.

— Можно мне сказать? — робко вклинился Саша, которого к тому моменту уже запихнули в машину, мы тоже сели, я взирала на Леву сурово и непреклонно.

— Нельзя, — глядя на меня, ответил Лева, и, ухватив меня за подбородок, спросил: — Ты всерьез надеялась удрать от меня? — Стало ясно, сейчас он взгромоздится на своего любимого конька и заведет бесконечную сагу о своем могуществе. И нюх как у собаки, и глаз как у орла, а все прочее вообще вне конкуренции. Век бы слушала, да давно уже тошно.

— Можешь взглянуть на труп, — коротко сообщила я. — Под кроватью, в моем номере. Мы не знаем, как его вывезти.

— Оригинально. Я приезжаю сюда и что вижу: ты под утро возвращаешься со своим любовником, извини, охранником, раз уж это теперь так называется, и при этом болтаешь всякую чепуху.

— Труп — не чепуха. Если горничная заглянет в номер...

Лева уставился на меня, стараясь выглядеть проницательным, а я максимально правдивой. У меня получилось лучше.

— Коля, загляни в номер, — кивнул Лева одному из парней.

— Двести шестнадцатый, — поспешно сказала я.

— Я знаю, дорогая. Я все о тебе знаю.

Коля покинул машину, а мы затихли, напряженно ожидая, что будет дальше.

Он вернулся через десять минут, наклонился к Левиному уху и что-то прошептал, слов я не расслышала. Физиономия былого возлюбленного вытянулась, он нахмурился, взглянул на меня, потом на Сашу, потом опять на меня.

— Черт возьми, во что ты впуталась? Выходит, твоя сестрица права и ты действительно попала в передрягу?

Теперь появление Левы было вполне понятно, я мысленно обругала Светку последними словами.

— Это она тебе сказала, где меня искать? — спросила я, хотя ответ уже знала.

— Я бы все равно тебя нашел, только потратил бы чуть больше времени, — самодовольно ответил он. — Двигай, — бросил он небрежно, машина тронулась с места, но проехали мы не больше километра, Лева велел остановиться, кивнул своим парням, они вышли и принялись совещаться. Стояли совсем рядом, но о чем говорят, я не слышала, зато сразу поняла, удрать не удастся, можно, конечно, выскочить и броситься бегом по склону, однако велик риск свернуть шею, а также быть пойманной, мои поспешные действия Леву разозлят вне всякого сомнения, к тому же ему ничего не стоит пальнуть для острастки, а пуля, как известно, дура... В общем, попыток искушать судьбу я не предприняла, сидела нахохлившись и наблюдала за бывшим возлюбленным. С видом Наполеона он что-то там растолковывал троим придуркам.

— Это что ж за счастье такое? — подал голос Саша, кивнув на Леву. Признаться, увлекшись печальными думами, я о нем забыла и теперь почувствовала угрызения совести, кашлянула и ответила со вздохом:

— Так... один знакомый.

— Значит, других таких нет? Уже хорошо. Но и этого одного вполне достаточно.

— Потерпи немного, — посоветовала я. — Главное, не зли его, молчи и делай вид, что очень впечатлился. Он это любит. Когда до него дойдет, что никакой ты не любовник, он тебя отпустит. С мозгами у него все в порядке, хоть и выглядит идиотом.

— Что он вообще за тип?

Я пожала плечами.

— Он мнит себя всемогущим.

— Это серьезно, — вздохнул Саша, а я сочла необходимым сказать:

— Извини, что тебе досталось.

— Ерунда. Но лучше бы ему завязать с мордобоем, я не люблю, когда меня колотят.

В этот момент совещание закончилось. Все вернулись в машину, и мы поехали дальше.

— Куда ты нас везешь? — хмуро спросила я, наблюдая пейзаж за окном.

— В одно уютное местечко.

— Ты совершаешь ошибку, потом не говори, что я тебя не предупреждала.

— Я не совершаю ошибок. Правда, иногда исправляю чужие. — Ну, что тут скажешь, я махнула рукой и уставилась в окно.

Минут через двадцать мы свернули с шоссе на каменистую дорогу, которая вывела нас к роскошному дому, он прилепился на склоне горы, место казалось мрачноватым, лучи солнца с трудом пробивались сквозь кроны деревьев, здесь было прохладно и тихо.

Лева вышел из машины и по-хозяйски поднялся на крыльцо. Его поведение слегка удивляло, если учесть, что он совсем недавно прибыл в эти края. Насколько мне известно, ранее он сюда не наведывался, хотя, может, я не права, наведывался, и не раз, и даже дом приобрел. Можно, конечно, его об этом спросить, но, хорошо зная возлюбленного, я не сомневалась, что услышу в ответ, что у него везде все схвачено и так далее, в общем, нечто в высшей степени самодовольное и малоинформативное. Оттого и спрашивать не стала.

— Нам выходить? — крикнула я ему вдогонку.

— Разумеется.

Я вышла, и Саша тоже, с двух сторон пристроились Левины здоровячки, но старались они напрасно, мы вели себя смирно. Лева распахнул дверь, дождался, когда я подойду, и подхватил меня на руки.

— Добро пожаловать, дорогая, — сказал он и перешагнул через порог, при этом косясь на Сашу, проверяя реакцию на свои слова. Реакции не было вовсе, Саша выглядел сильно опечаленным своей судьбой и далеким от происходящего, Леву это слегка раздосадовало. Он поспешил поставить меня на ноги, чему я порадовалась.

Один из парней вошел в дом следом и запер дверь. Двое других остались на улице, послышался звук работающего двигателя, который постепенно удалялся, из чего я сделала вывод, что парни куда-то отбыли. Грустного Сашу отвели в чулан под лестницей, где и заперли.

— Где ты его подцепила? — фыркнул Лева, когда мы остались вдвоем в гостиной, кое-как обставленной мебелью. Меблировка совершенно не соответствовала общему виду дома, должно быть, всерьез заняться ею у хозяина, кто бы он ни был, руки так и не дошли. Лева достал коньяк из шкафчика, выпил и покачал головой, то ли коньяк ему не понравился, то ли мое поведение.

— Ты мне надоел со своими глупостями, — отмахнулась я. — Ради бога, прекрати болтать чепуху. Он не мой любовник и никогда им не был.

— Его счастье. Если это, конечно, правда. Почему ты сбежала? — совсем другим тоном спросил он, усаживаясь в опасной близости от меня, голос стал хриплым, а взгляд страстным, Лева постоянно кого-то изображал, то Отелло, то Ромео-переростка, я за ним никогда не поспевала и сейчас слегка растерялась, но ответила довольно быстро:

— Хотела побыть в одиночестве и все обдумать.

— Что все? — Он поставил рюмку на стол и сграбастал мою руку.

— Привести чувства в порядок, — пояснила я.

— Чувства, — фыркнул он. — Разве у тебя есть чувства? Ты холодна как лед... — Далее следовал обычный в таких случаях набор слов и выражений, обычных для Левы, я имею в виду. Нормальные мужчины не обладают таким словарным запасом, если не штудируют поэтический словарь. Сейчас Лева изображал мачо, не считая всемогущества, на котором он вовсе помешался, это была его любимая роль, он исполнял ее с блеском, чему немало способствовала его внешность. Лева не мог похвастать высоким ростом (думаю, это самая большая трагедия в его жизни, впрочем, Наполеон тоже был коротышкой), сей недостаток компенсировала отличная фигура, Лева ею очень гордился, соблюдал диету и дважды в день вставал на весы. Прибавку в весе на двести граммов он воспринимал точно весть о скорой кончине. Длинные волосы падали на плечи мельчайшими пружинками (эффект «мокрой» завивки), цветом напоминая крыло ворона, Лева был смугл, белозуб, чувственный рот слегка приоткрыт, точно ему трудно дышать от избытка страсти (само собой, могучая грудь при этом вздымалась), темные глаза с поволокой смотрели так, что дамские ручки невольно тянулись к крючкам и пуговицам в ожидании неземного блаженства. Наблюдая за тем, как Левины руки переместились в район моего тазобедренного сустава, я с тоской подумала, что потратила на этого идиота год своей жизни, и если в первые полгода хоть удовольствие получала, то вторые были мраком кромешным, и чувствовала я себя распоследней дурой, потому что просто дура гораздо раньше бы поняла, что за всеми Левиными ужимками и прыжками вовсе ничего нет. Разумеется, если не считать скверного характера и невероятного эгоизма. — Ты ведь скучала без меня? — шепнул он и попытался меня поцеловать. Стало ясно, Лева увлекся своей ролью и начисто забыл обо всем на свете.

— Дорогой, — вздохнула я, слегка отстраняясь. — На тот случай, если ты запамятовал, в моем номере труп под кроватью.

— Я послал ребят, они уберут.

— Твои ребята могут оказаться в дерьме по самые уши. — Лева терпеть не мог, когда я употребляла подобные выражения во время любовных сцен, и сейчас обиженно нахмурился.

— Мои ребята...

— Лева, ты до сих пор ничего не понял. Спецслужбы проводят операцию, этот парень в чулане и я вынуждены им помогать, а ты тот самый слон в посудной лавке. Немедленно отпусти нас и уезжай отсюда. Спецслужбы, это не менты в нашем городе, которые у тебя с рук едят. Ты нарвешься на крупные неприятности.

— Ты меня дураком считаешь? — разобиделся он. — Какие, к черту, спецслужбы?

— Тебе что, мало трупа?

— Откуда он взялся?

— Я не могу тебе ничего объяснить. Я подписала бумагу, что буду молчать, а если проболтаюсь, меня посадят в тюрьму. Я не хочу в тюрьму. Поэтому отвяжись от меня и немедленно отпусти.

— Чтобы ты побежала трахаться с этим придурком? — съязвил он.

— Лева, ты идиот, — сказала я сурово.

— Твоя сестра перепугалась насмерть и попросила меня разобраться. Мне-то ты можешь рассказать, что произошло?

— В том-то и дело, что не могу. И я очень за тебя переживаю. Я не хочу, чтобы...

— Ты меня любишь, — сказал он утвердительно.

— Конечно, — кивнула я.

— Почему ты сбежала?

— Мне надо было подумать.

— Ерунда.

— Вовсе нет.

— О чем ты хотела подумать?

— Лева, давай поговорим об этом, когда...

— Нет, сейчас. Ты любишь меня?

— Да.

— Ты выйдешь за меня замуж?

— Конечно. Как только вернусь.

— А когда ты вернешься?

— Пока не знаю.

Он хихикнул и отодвинулся.

— Нет, ты меня в самом деле считаешь дураком? Ты думаешь, я позволю тебе... — В этот момент в дверь постучали. — Да, — крикнул Лева с недовольством, в комнату вошел парень, из тех, что недавно уезжал. — Что? — хмуро поинтересовался всемогущий. Парень стрельнул глазами в мою сторону, по-кошачьи мягко приблизился и что-то зашептал, наклонясь к хозяйскому уху. Ухо шевельнулось, а брови поползли вверх, Лева был удивлен. — Ты хорошо посмотрел? — спросил с сомнением. Парень кивнул, всем своим видом давая понять, что хозяйское недоверие больно ранит. — Иди, — махнул Лева рукой, и парень исчез, а всемогущий задумался. Он терпеть не мог ситуаций, которых не понимал. Похоже, сейчас одна из них. Ему не хотелось делиться своими сомнениями, раз уж предполагалось, что он обычно зрит на три метра в глубину и даже обладает даром предвидения (с этой целью он часто посещал гадалок и экстрасенсов), но пришлось, потому что загадок Лева на самом деле не любил и даже слегка их побаивался.

— Труп исчез, — лаконично сообщил он.

— Ничего удивительного, — пожала я плечами, хотя, конечно, удивилась. Если бы труп обнаружила милиция, там было бы столпотворение, то есть парень немедленно бы об этом узнал. Сам труп деться никуда не мог, выходит, либо его успел вывезти Юра, либо наконец-то объявился Аркадий. Конечно, был еще убийца, но как-то не верилось, что ему вдруг понадобился труп. Лева взирал с сомнением, а я вздохнула: — Поймешь ты наконец, что...

— Ты с ним спишь? — перебил он.

— С кем? — разозлилась я.

— С этим уродом в чулане.

— Конечно, нет. С какой стати?

— Смотри мне в глаза. — Я посмотрела. Лева искренне считал, что под его взглядом соврать невозможно, представляю, сколько людей этим пользовалось. — Поклянись, — решил он подстраховаться на этот раз.

— Клянусь, — с готовностью ответила я.

— Ты любишь меня?

— Конечно. И я выйду за тебя замуж. Осенью. Скажем, в начале ноября. Хорошо?

— Почему в ноябре? — нахмурился он.

— Тогда в октябре. Октябрь тебе подходит?

— И не думай, что сможешь сбежать от меня.

— Даже не мечтаю.

Не успела я порадоваться, что в этот раз обошлось без грома небесного, метания молний и земного сотрясения, как поняла: радовалась рано.

— Я люблю тебя, — страстно прошептал былой возлюбленный и вознамерился это доказать.

— Лева, — позвала я сурово, запрокидываясь на спину под его весом. Ситуация складывалась скверная: кричать — дело зряшное, драться с ним глупо, раз ясно заранее, что он победит, и я сделала то, что было и глупо, и бесполезно, то есть заревела от тоски и жалости к себе. Разумеется, Леву это не остановило, он отчаянно жаждал близости, а я отчаянно ревела и вдруг услышала:

— Придется тебе потерпеть до следующего раза. — Произнес это не Лева, так как в тот момент он просто не мог ничего произнести. Увернувшись от его губ, я приподняла голову и увидела Сашу. Он стоял рядом и легонько похлопывал Леву по плечу. — Слышь, мужик...

Сказать, что Лева обалдел от такой наглости, — значит исказить истину, тут любой бы обалдел, а такой тип, как мой бывший возлюбленный... В общем, он открыл рот, да так и замер, правда, глазами зло посверкивал и уже собрался с силами, чтобы ответить, но Саша ему такой возможности не дал, взял и стукнул по затылку, да не кулаком, а пистолетом, который держал в руке. Лева обиженно хрюкнул и ткнулся носом в подушку, а я смогла из-под него выбраться, к великой своей радости.

— Извини, что кайф поломал, — пожал Саша плечами.

— О каком кайфе речь? — возмутилась я.

— Но он вроде твой дружок.

— У каждого в жизни отыщется пара ошибок. Это одна из них. А как ты из чулана выбрался?

— Это несложно. Сейчас надо из дома сматываться. Пошли.

Мы спешно покинули комнату, я двигалась с опаской, Саша довольно уверенно. В доме стояла тишина, нарушаемая лишь биением часов в холле да стуком моего сердца, готового поспорить с часами, по громкости я имею в виду. В этот момент кто-то поднялся на крыльцо, потянул на себя дверь, и Саша, держа меня за руку, нырнул в боковой коридор, сделав знак молчать. Через минуту выяснилось, в доме был еще один выход, мы благополучно покинули дом и начали взбираться по склону горы. Когда я решила, что мы почти в безопасности, внизу раздался выстрел. Для начала я подпрыгнула, а потом изготовилась кричать, но Саша предупредил:

— Не вздумай. — И я моментально прикрыла рот. Он устроился за ближайшим кустом и принялся наблюдать за домом.

— Разве не разумнее будет унести отсюда ноги? — не без гнева вопросила я, на что он ответил:

— Надо же понять, что происходит.

Я тоже уставилась на дом и добросовестно пялилась на него довольно долгое время, но ничего не поняла, надеюсь, Саше повезло больше. Он наконец-то выпрямился и сказал:

— Пошли.

Шли мы долго, и каждый пребывал в задумчивости. Тишину нарушила я.

— Что будем делать? — задала я совершенно неоригинальный вопрос, но, по понятным причинам, очень для меня важный.

— Сматываться надо, — пожал плечами Саша.

— Как сматываться? — растерялась я, то есть я бы с удовольствием смоталась, но ведь Родина в лице Аркадия вряд ли такое позволит, раз у них операция. — Меня посадят в тюрьму, — жалобно сообщила я, сие на Сашу особого впечатления не произвело, впрочем, с какой стати ему впечатляться, раз посадят не его, а меня.

Вспомнив об Аркадии, я мгновенно воспылала сильнейшим гневом: где его, интересно, черти носят? Ночью меня едва не убили, а ему и горя мало. Теперь появился Лева... Что за организация такая, у них под носом черт-те что творится, они же знать ничего не знают, а мне рискуй головой.

— Это ужасно, — вздохнула я.

— Что? — спросил Саша, а я сообразила, что последнюю фразу произнесла вслух.

— Все, — была я предельно лаконична.

— Да ладно, — утешил он, — не все так скверно.

— Откуда у тебя пистолет? — спросила я немного некстати и тут же начала волноваться.

— Позаимствовал у мордастого парня в красной рубахе, — с готовностью пояснил Саша. — Я только-только выбрался из чулана, и вдруг он подвернулся под руку.

— Он жив? — спросила я, ожидая самого худшего.

— Обижаешь, — насупился Саша. — Клятву Гиппократа я, может, и не давал, но во мне живет глубочайшее уважение к чужому здоровью.

Не очень-то я поверила, но спорить не стала. Тут мы выбрались на проселочную дорогу, Саша повертел головой, оптимистично произнес:

— Ага. — И отправился по ней, я, конечно, тоже.

Дорога вывела нас к поселку, домов в двадцать, мы подошли к крайнему, Саша пошарил рукой под крыльцом и извлек ключ. Я заволновалась, но смолчала. Дом оказался небольшим, обставленным старенькой мебелью, но вполне уютным. Удобства во дворе и душ там же. Я незамедлила им воспользоваться, а когда вернулась, застала Сашу сидящим в кресле-качалке на открытой веранде, погруженным в думы.

— Ничего мне объяснить не хочешь? — нервно спросила я. Он поднял голову и взглянул так, точно я обвинила его в краже со взломом, а он между тем ни сном ни духом.

— Этот дом принадлежит моему приятелю, — сообщил он с неохотой, а я кивнула, хотя спрашивала вовсе не о доме. — Он иногда приезжает сюда на выходной. Есть хочешь? В холодильнике полно консервов, а за хлебом я могу сбегать.

— Спасибо, у меня кусок в горле застрянет.

Я села в кресло неподалеку от него и принялась сверлить Сашу взглядом. Он делал вид, что его не замечает, но в конце концов не выдержал.

— Я пытаюсь найти выход, — скромно сообщил он.

— Ты бы для начала объяснил, что за хрень тут творится.

— Откуда же мне... — начал он, но я перебила:

— Не увиливай, ты знаешь гораздо больше, чем хочешь показать. Это нечестно. Я согласилась тебе помогать, можно сказать, душу открыла, а ты взамен хитришь и притворяешься.

— Твое недоверие... — возмутился он, но я вновь перебила:

— Что это за операция такая?

— Почему бы тебе не задать этот вопрос нашим друзьям в костюмах?

— Фиг они ответят. Пудрили мозги бездну времени и ничего толком не сказали.

— Это на них похоже.

— Ты тоже хорош. Хочешь, чтобы я тебе помогала, объясни, что происходит. Только не говори, что сам не знаешь, — лишишься остатков моего доверия.

— Если они тебе ничего не объяснили, с какой стати им со мной откровенничать? — обиженно надул он губы.

— Аркадию, возможно, это действительно ни к чему, но ты в этой истории персонаж не последний, и не считай меня законченной дурой, может, я и дура, конечно, но глаза у меня все же есть.

— И что ты видишь этими глазами? — спросил он с лихой улыбкой, но теперь в голосе слышался интерес.

— Вижу, что ты мне голову морочишь.

— А нельзя ли поподробней?

— Да ради бога, — скривилась я. — Начнем с главного. Ты утверждаешь, что о чертовой операции, что бы она собой там ни представляла, ты знать ничего не знаешь. К тебе явились придурки в пиджаках, и ты без удовольствия включился в дело, желая помочь Родине.

— А на самом деле? — Он все еще ухмылялся, но взгляд стал не только заинтересованным, но и настороженным, хотя, может, я выдумываю... нет, точно настороженный.

— На самом деле ты один из основных персонажей...

— Я всегда рад быть на первых ролях, но ты явно преувеличиваешь.

— Если только самую малость. Ты появился на фуршете. Так?

— Появился, конечно...

— Якобы для того, чтобы встретиться с Региной. Девица, исполняющая ее роль в тот вечер, тебя увидела и перепугалась. После чего события стали развиваться чересчур стремительно. То есть она тебя знала и от твоего появления ни она, ни ее друзья ничего хорошего не ждали, поэтому ломать комедию им расхотелось и они перешли к военным действиям: не стали ждать, когда она завяжет близкое знакомство с Кириллом, а просто шваркнули мне по голове и попытались учинить допрос с пристрастием. Девушка, между прочим, погибла.

— Уж не я ли ее убил?

— Возможно, и ты.

— А зачем?

— К примеру, затем, чтобы она не успела сообщить о твоем появлении. Мы с Кириллом сбежали и укрылись в кемпинге. А в доме по соседству вскоре появляется человек, показавшийся мне знакомым. Жаль, лица я его не видела, зато на тебя за это время успела насмотреться и почти уверена: я тогда видела тебя. Ты точно был в кемпинге.

— И убил Кирилла? — спросил он с усмешкой, а я вынуждена была отрицательно покачать головой, потому что убийца ничего общего с Сашей не имел, против истины не попрешь. — И то хорошо, — вздохнул Саша. — Валяй дальше.

— Кирилл погиб, я осталась одна, и у меня было то, что всем по неведомой мне причине так необходимо. И тогда ты вновь появляешься, причем на совершенно законных основаниях. Только это не Аркадий тебя нашел, чтобы было кому подтвердить, что я Регина, это ты все подстроил таким образом, чтобы они вынуждены были обратиться к тебе. Для ветеринара ты слишком боек. Трупы тебя не пугают, из чулана ты выбрался чересчур ловко, да и вообще...

— Да... — протянул он печально. — И все это ты увидела своими глазами? Может, стоит обратиться к офтальмологу?

— Может, и обращусь. А пока вернемся к тому, с чего начали. Что это за операция? И не увиливай. Начнешь хитрить, я немедленно отправлюсь в милицию. Не к дураку Аркадию, а в обычную милицию, где покаюсь в грехах и расскажу, какой ты мутный тип. Может, в тюрьму тебя не отправят, но игру тебе, безусловно, поломают, а что-то мне подсказывает, тебе это совсем не понравится.

— Что ж, — немного помедлив, вздохнул он, — придется колоться. Говоришь, Аркадий жаждет посадить за решетку какого-то неведомого суперпреступника? А я жажду денег. Больших. У меня с детства склонность к роскоши, а на собачках много не заработаешь. Так вот, на днях где-то на побережье должно произойти историческое событие: крупная партия денег перекочует из одних рук в другие. Один из тех, кто должен следить за благополучным исходом операции, мой приятель Витька. Он увел у меня девушку, и я на него в большой обиде. Кстати, девушка вскоре поняла, какого дурака сваляла, связавшись с ним, и не прочь была отыграться. Собственно, благодаря ей я и узнал об операции. Мы решили, что деньги нам очень кстати, и разработали свой план. Но счастливая мысль явилась не только в наши головы, и кто-то из Витькиных друзей тоже решил поучаствовать. В результате Регина погибла, а известная тебе особа заняла ее место. В положенное время Регина мне не позвонила, и я забеспокоился, оттого и появился на фуршете. С девицей, ее заменившей, мы действительно ранее встречались, это тоже одна из Витькиных пассий, от него и узнала, что здесь есть чем поживиться. Ты меня тоже заинтересовала, во-первых, красотой, прямо-таки божественной, во-вторых, тем, что по описанию походила на мою подружку и вполне могла оказаться Региной под номером 3. Я беспокоился за Регину, и не зря: когда мы с тобой столкнулись в темноте возле сарая, убийцы как раз выносили ее труп. А вскоре погибла и девчонка, ее заменившая. Кто ее убил, не знаю, сначала я думал на Кирилла, но это глупо, с какой стати ему ее убивать? Для ее друзей это тоже лишние хлопоты, так что остается некто третий, и здесь нелишне вспомнить, что перед кончиной девушка довольно долго говорила с Кириллом. Я следил за ними и это видел. Наверное, не только я. Кто-то, должно быть, решил, что Кирилл передал ей нечто, до зарезу всем необходимое, оттого девушка и скончалась. Однако он просчитался и, поняв это, скорее всего отправился за тобой, но к тому моменту шустрые ребята уже обнаружили труп девчонки и решили с тобой не церемониться. — При этих словах я невольно поежилась, если все так, выходит, мне здорово повезло, что парни, которых убил Кирилл, меня с собой прихватили, я отделалась черепно-мозговой травмой, а могло быть и хуже... — Вы с Кириллом отбыли из гостиницы, и я, разумеется, тоже. Ты действительно видела меня в кемпинге, но Кирилла я не убивал. Я хочу знать, где деньги, а вот покойники мне совершенно без надобности. Теперь вопрос: кто его убил? Либо тот тип, которому удалось удрать от Кирилла в роковую ночь, либо неизвестный, о чьем присутствии мы пока лишь догадываемся, в любом случае ни тот, ни другой ничего не получили, по крайней мере я на это рассчитываю. Теперь гостиница. Ничего подозрительного я там не углядел, хоть и старался, но в твоем номере, несмотря на это, обнаружился труп. Если предположить, что убийца шел к тебе с дурными намерениями (а какими они еще могут быть, если речь идет об убийце?), так вот, он надеялся забрать у тебя нечто принадлежащее Кириллу, но ты носишь доллар в сумочке, а парень, возможно, даже не знает, что должен найти.

— Но ведь доллар — сущая ерунда, — напомнила я хмуро, — он ничего не значит. Выходит, Кирилл собирался что-то передать на словах?

— Я тоже так думал. Но если за тобой упорно охотятся, должен быть смысл. Давай-ка взглянем на купюру еще раз.

Я с готовностью извлекла из кошелька доллар и протянула ему. Он прошел в кухню, долго шарил в столе и, наконец, вернулся с лупой, затем закрепил купюру на оконном стекле и стал ее разглядывать. Я лезла под руку и сопела от возбуждения.

— Опа, — сказал Саша со смешком, а я ахнула от неожиданности. Уж сколько я пялилась на эту бумажку — и все без толку, а тут все так просто. Теперь я отлично видела буквы, выколотые тонкой иглой, одна на одной половинке купюры, другая на другой, и так по очереди. Вместе они составили слово.

— «Триумф», — в два голоса произнесли мы и переглянулись.

— Что это может быть? — облизнув губы, спросила я.

— Что угодно. Ресторан, к примеру.

— И там будут эти деньги?

— Почему нет?

— Как-то не верится...

— Надо прокатиться по побережью и поискать место с таким названием, — предложил Саша, глаза его сияли, чувствовалось, он готов к великим свершениям.

— Я думаю, стоит позвонить Аркадию, — умерила я его пыл. Огонь в очах потух, и физиономия приобрела кислое выражение.

— Что толку от твоего Аркадия? — возмутился он.

— Не пудри мне мозги, ты нацелился на эти деньги, ничего не имею против, но я же на крючке у этих типов и...

— На эти деньги, как оказалось, много охотников. Нам это только на пользу. Во всеобщей неразберихе у нас есть хорошие шансы.

— Да ты спятил, — возмутилась я. — Какие шансы, раз везде одни трупы. Я не хочу рисковать. К тому же Аркадий отправит меня в тюрьму, ты что, забыл?

— Аркадию нужен его мистер Икс, так?

— Ну, так...

— И он его получит. Потому что совершенно прав: этот тип появится. Он уже наверняка в курсе, что тут началась такая путаница, что в пору к гадалке идти, чтоб понять, кто есть кто, а деньги огромные, и рисковать он ими не захочет. Может, он уже появился, просто мы еще об этом не знаем.

— Появился? — оживилась я. — Но кто им может быть? Парни, убившие Регину, на эту роль не подходят, Кирилл тоже, Юра и Виталий — тем более. Остаются: твой друг Витька, неизвестный, о котором мы пока имеем смутное представление... и ты, — помедлив, добавила я, на что Саша выдал лихую улыбку и эхом отозвался:

— И ты.

— Спятил? — возмутилась я и даже покраснела с досады.

— Отнюдь нет, — хихикнул он. — Мысль лишь на первый взгляд фантастическая, но если немного пошевелить мозгами... Почему мистер Икс непременно должен быть мужчиной?

— Эй, не завирайся, — отмахнулась я. — Мне двадцать пять лет, я девочка из благополучной семьи, откуда, скажи на милость, у меня вдруг появятся возможности, да и опыт... Чушь, и ты сам об этом знаешь, просто дразнишь меня.

— Выходит, ты в этой истории случайное лицо?

— Конечно.

— И я могу в это поверить?

— Можешь.

— Тогда и ты поверь: я не имею никакого отношения к таинственному мистеру Икс. Веришь?

— Верю, — вынуждена была ответить я, потому что, если бы ответила «не верю», началась бы сказка про белого бычка.

— Вот и отлично. Подведем итог: тебе нужен Икс, мне — деньги. Мы получаем то и другое и благополучно решаем все проблемы. Аркадий будет доволен, тебя представят к награде, и все мы будем жить долго и счастливо.

— Ты так говоришь, точно найти Икса и деньги — дело плевое, — усмехнулась я.

— Нет, конечно. Придется побегать, но, если повезет, мы справимся.

— А если нет? — задала я вполне резонный вопрос.

— А если нет... — Договорить он не успел, зазвонил мой сотовый, учитывая, что дал мне его Аркадий... В общем, я испуганно уставилась на Сашу и прошептала, как будто нас могли услышать:

— Что делать?

— Ответить.

И я ответила.

— Где вы? — завопил Аркадий.

— В безопасном месте, — прорычала я.

— Какого черта вы не в гостинице?

— И у вас еще совести хватает спрашивать?

— Вы о трупе? — сбавил он обороты, а я зло фыркнула:

— Конечно, о трупе, о чем же еще? Может, объясните, откуда он там взялся?

— Послушайте...

— Нет, это вы послушайте. Вы втравили меня в гнусную историю...

— Мы втравили?

— Не перебивайте! — рявкнула я. — Да, вы. Конечно, и до вас были трупы, но теперь это вовсе никуда не годится, вы же обещали, что я в безопасности, ничего себе безопасность.

— Уверяю вас, все под контролем, — выдал Аркадий дежурную фразу.

— Серьезно? Тогда, может, скажете, кто убил Виталия и за что? Ведь если все под контролем, проглядеть это событие вы никак не могли.

— Мы всецело сосредоточились на вашей безопасности, а коли вас в номере не было, то вполне естественно...

— Вполне естественно, — передразнила я. — А что за черт сюда принес Леву? Куда вы смотрели?

— Вот как раз о Леве я и хотел поговорить.

Но я вновь невежливо перебила:

— Труп из номера убрали вы?

— Да.

— Отлично. Я начинаю действовать самостоятельно, от вас все равно никакого толка. Как только обнаружу вашего Икса, дам знать.

— Да вы с ума сошли, — завопил Аркадий, но я

уже отключила телефон и взглянула на Сашу, он весело хихикнул, а потом подмигнул.

— Не радуйся, — умерила я его пыл. — Икс Иксом, а деньги поровну.

Через пару часов Саша ушел, а вернулся уже на машине. Я было подумала, что он, забыв про Аркадия, сунулся в гостиницу, но машина оказалась довольно скромным «Фольксвагеном», так что выходило, парень он запасливый: и транспорт очень кстати, и убежище. Впрочем, убежище мы вскоре покинули.

Саша разложил на столе подробную карту побережья и произнес:

— Посмотрим, что тут у нас имеется.

Тщательное изучение принесло плоды: отель с названием «Триумф». Туда мы и направились.

Дорога заняла не больше часа, а отель порадовал: из дорогих и расположен весьма удачно. Пока Саша беседовал с администратором, я устроилась в открытом кафе с прекрасным видом на море и попыталась решить, правильно ли поступаю, но уже через пять минут махнула на размышления рукой. Похоже, другого выхода просто нет, я умудрилась влезть в эту историю по самые уши, по-прежнему мало что понимая, так что самое разумное в данной ситуации — плыть по течению и надеяться, что эта самая ситуация как-то прояснится. Неужто Кирилл был прав и в душе я авантюристка? Открытие меня счастливее не сделало.

Я вздохнула и посоветовала себе любоваться пейзажем. И тут из-за скал показалась яхта с белыми парусами, зрелище, прямо скажем, завораживающее. Яхта сбавила ход и через несколько минут причалила к пирсу неподалеку от отеля, а я немного напряглась и смогла прочитать название. «Триумф» значилось на борту.

— С ума сойти, — пробормотала я и кинулась к Саше, так меня разбирало, но в этот миг он сам появился в кафе. Я схватила его за руку и, тыча пальцем в нужном направлении, пробормотала: — Триумф.

— Что? — не понял он.

— Яхта, только что причалила к берегу.

Он уставился на белые паруса.

— Ты думаешь? — спросил недоверчиво.

— А почему бы и нет? — горячо зашептала я. — Почему обязательно отель, ресторан или кемпинг? Почему не яхта?

— А ведь в самом деле, — пробормотал он, устраиваясь в кресле. — Очень удобно. Кстати, и в том отеле, и в кемпинге по соседству был пирс... черт... ну, конечно. Прогулочная яхта двигает вдоль побережья, никаких подозрений это не вызывает, к тому же гораздо безопаснее...

— Что будем делать?

— Сейчас? А что мы можем сделать? Приглядимся... Для начала прогуляемся на пирс.

Я с готовностью кивнула. Вещей у нас не было, так что в номер заходить без надобности. Я подхватила Сашу под руку, и мы пошли.

Вблизи яхта не производила особо сильного впечатления. Паруса спущены, и теперь было видно, что это просто большая лодка с длинными мачтами, свежевыкрашенная белой краской с подновленной надписью на борту.

— И там огромные деньги? — шепотом спросила я, пожирая надпись глазами.

— Вовсе не факт, — пожал плечами Саша, — но внутренний голос подсказывает, что мы на верном пути.

— Лучше бы твой внутренний голос подсказал, как стянуть эти деньги. — Он хихикнул и, обняв меня, повел с пирса. — Куда ты меня тащишь? — возмутилась я, хотелось иметь яхту с сокровищами на глазах.

— Не торчать же нам здесь целую вечность. Просто так подняться на нее мы все равно не сможем, а, стоя столбом, непременно привлечем к себе внимание.

Я все-таки оглянулась. Парень в шортах и бандане, загорелый дочерна, появился на палубе.

— А если историческая встреча произошла? — вновь заволновалась я. — И денег уже нет?

— Тогда нам здорово не повезло. Чем гадать, лучше сделать для себя что-то полезное. У нас даже зубных щеток нет. Уверен, тебе тоже необходимы кое-какие вещи. Прошвырнемся по магазинам.

В тот момент я была так поглощена мыслями о сокровищах, что ни о каких магазинах и думать не могла, но Саша, конечно, был прав, и я согласилась.

Поход по магазинам прошел удачно, но пирс по-прежнему притягивал меня, точно магнит. Когда мы вошли в номер, первое, что я сделала, выпорхнула на балкон и смогла констатировать, что яхта отсюда видна как на ладони: я устроилась в кресле и принялась ее разглядывать. Саша понаблюдал за мной с минуту и заявил:

— Так не годится.

— Я же просто смотрю, — обиделась я.

— Ты не смотришь, ты пожираешь ее глазами. Вот уж не думал, что ты такая корыстная.

— Дело вовсе не в корысти. Просто интересно, сможем мы это или нет.

Он усмехнулся, сел рядом в другое кресло и положил руку мне на колено, я покосилась на его ладонь и нахмурилась.

— Не хочешь отдохнуть? — невинно спросил он.

— Отдохнуть? — переспросила я и проявила интерес: — А это твой номер или мой?

— Это наш номер, — осчастливил он, а я принялась возмущаться:

— С какой стати? Что это ты себе вообразил? И убери руку с моего колена. — Руку он убрал.

— Я не могу взять тебе отдельный номер, оба твоих паспорта уже засветились, не забывай, Аркадий с товарищами в костюмах рыскают по соседству.

— Но ведь и о тебе им прекрасно известно, — начала я и осеклась. — У тебя есть еще паспорт?

— Предусмотрительно, правда?

— Чем больше я тебя узнаю, тем подозрительней ты мне кажешься, — недовольно заметила я.

— Я открыл все карты. Кстати, ты так и не ответила на вопрос.

— Если ты называешь отдыхом... — начала я, но договорить не успела, он меня поцеловал. Сначала я была возмущена, потом растеряна, потом решила, что он слишком высокого мнения о своей особе, а потакать этому я не собиралась. Я отстранилась и сказала: — Прекрати.

— У меня есть шансы. Чтобы определиться, тебе понадобилось больше двух минут. Ты не заехала мне по физиономии, а «прекрати» прозвучало как-то неуверенно.

— Какой же ты придурок, — пылая гневом, заявила я. — Вместо того чтобы думать о том, как стянуть эти деньги...

— Я думаю. И некоторое содействие с твоей стороны явно бы пошло на пользу.

— Не дождешься, — отрезала я и, чтобы прекратить этот разговор, покинула балкон. Однако в номере я почувствовала себя еще более неловко. Единственная кровать вызывала мысль о том, что мне придется делить ее с этим типом. — Если у тебя нет никаких идей, я, пожалуй, пройдусь, — громко сообщила я.

— Это опасно, — нахмурился он.

— Не опаснее, чем оставаться здесь.

— Если эта яхта как раз то, что мы ищем, у нас полно врагов по соседству, а мы о них даже не знаем.

Его слова произвели впечатление. Я села на краешек кровати и недовольно заметила:

— Но от нашего сидения в номере толку никакого.

— Не торопи события, если мы на верном пути, они ждать не заставят. — Саша оказался прав, события, что называется, не замедлили явиться.

После ужина мы решили прогуляться. Естественно, меня потянуло к пирсу. Очень хотелось взглянуть, что там происходит, но Саша, точно испытывая мое терпение, повел меня в противоположном направлении. Солнце садилось, начало темнеть, на набережной зажгли фонари. Мы медленно шли, взявшись за руки. В какой-то момент я решила, что делать этого не стоит, и попыталась руку освободить, но Саша держал ее крепко, а взглянул укоризненно. Только я собралась разразиться речью по этому поводу, как он вдруг шепнул:

— Посмотри-ка...

Я посмотрела в нужном направлении и едва не вскрикнула от неожиданности: в каких-то двух десятках метров от нас остановилась знакомая машина и из нее показался Левушка. Само собой, я шарахнулась в сторону, но Саша умерил мой пыл, попридержав за руку, чтобы я не делала резких движений, тем самым не привлекая к себе внимания. Мы укрылись за афишной тумбой. Между тем вслед за Левой из машины вышли еще трое мужчин, а между ними, зажатый с двух сторон, ковылял четвертый. С глубочайшим изумлением я узнала в нем Юру. Шел он как-то странно, вроде бы хромал, руки держал перед собой, и я не сразу сообразила, что они у него скованы наручниками и с этой целью прикрыты пиджаком, к тому же он придерживает руками свои брюки, а то, что надобность в этом была, совершенно очевидно. Нервно поглядывая по сторонам, колоритная группа направилась к двухэтажному дому по соседству, поднялась на крыльцо и вскоре скрылась за дверью.

— Это ведь Юра? — не особенно поверив своим глазам, спросила я.

— Ага, Юра. Похоже, на этой войне появились

первые пленные. Видок у него неважный, боюсь, над ним здорово потрудились, и теперь твой дружок знает то же, что и мы. Что он за тип вообще?

— Он непорядочный человек, — коротко сформулировала я. — Но каким образом он узнал о Юре?

— Должно быть, Юрик видел, как нас увозят, и решил прийти на помощь. А твой непорядочный способен включиться в игру, если на кону большие бабки?

— Чего ты спрашиваешь, он уже включился, — вздохнула я с сожалением, — и могу тебе сказать, что...

— Ладно, не пугай, пока до дела не дошло, я и так дрожу, как кролик... Выходит, в нашем полку прибыло, я имею в виду охотников за сокровищами. Что ж, может, оно и неплохо.

— Не знаю, чего ты хорошего нашел во всем этом... Подожди, но ведь Юра не знает о надписи на долларе, следовательно, и о «Триумфе» ничего не знает.

— Что он знает, а чего нет, это мы у него спросим.

Мне очень хотелось уточнить, что значит «спросим», но я лишь нахмурилась. Саша направился к дому, в котором скрылся мой бывший возлюбленный, и я, конечно, тоже, хотя предпочла бы держаться как можно дальше от Левушки. Симпатичный домик принадлежал пансионату «Кавказ» и представлял собой два номера люкс с балконами с натянутыми над ними тентами.

— Ты что, хочешь войти? — испуганно спросила я, наблюдая, с каким вожделением Саша разглядывает дверь, которой воспользовался Левушка.

— Я бы не прочь, да боюсь, что дверь заперта, там же пленник.

— Кроме пленника, там четыре здоровенных мужика. Что, скажи на милость, ты о себе воображаешь?

— Ну, когда-нибудь им надоест здесь сидеть... к примеру, ребята решат перекусить.

— Что им помешает заказать ужин в номер, — съязвила я. Саша взглянул на меня с неодобрением.

— Может человек просто помечтать?

— Может. К примеру, о больших деньгах. Но лучше не мечтать, а пошевелить мозгами. Дай мобильный. — Вообще-то, у меня был свой, то есть Аркашин, но пользоваться им не хотелось. Саша протянул мне трубку, и я набрала Левушкин номер. Он откликнулся незамедлительно. — Лева, — жарко зашептала я, — как ты себя чувствуешь? — Тут же стало ясно, что, осведомившись о его здоровье, я дурака сваляла, возлюбленный мгновенно вспомнил, при каких обстоятельствах мы расстались, и очень эмоционально сообщил:

— Я твоего хахаля на куски разрежу.

— Ради бога, он вовсе не мой хахаль, и я все еще люблю тебя, хоть ты этого и не заслуживаешь.

— Если ты думаешь... — начал он, но я перебила:

— Лева, умоляю, я в ужасном положении, и мне нужна твоя помощь. — Лева моментально преобразился, став романтическим героем.

— Где ты? — спросил с болью душевной.

— В гостинице. Я совсем одна и понятия не имею...

— Я сейчас приеду, — заявил он и даже не поинтересовался, что я в этой самой гостинице делаю.

— Только, пожалуйста, будь осторожен, — прошептала я, задыхаясь от нежности, Лева что-то невнятно пробормотал, не придумав достойной реплики.

Через десять минут интересующая нас дверь распахнулась, и появился былой возлюбленный в сопровождении двух доверенных лиц. Они торопливо проследовали к машине и вскоре исчезли из нашего поля зрения, свернув за угол.

— Сколько в женщинах коварства, — вздохнул Саша, глядя на меня без одобрения.

— Для кого я, по-твоему, стараюсь? — Он лишь головой покачал, но после этого начал действовать решительно. Первым делом проинструктировал меня, затем направился к балкону, а я к двери. Дверь была снабжена глазком, я надавила на звонок, встав так, чтобы меня было хорошо видно.

Послышались шаги, затем какая-то возня, потом что-то грохнуло, а через мгновение распахнулась дверь. Саша с довольной физиономией посторонился, я с трудом протиснулась в холл, этому препятствовало бездыханное тело одного из доверенных лиц Левушки, лежащее неподалеку от двери.

— Он жив? — испугалась я, косясь на парня.

— Кто? — нахмурился Саша.

— Этот тип, разумеется.

— Чего ему сделается? — вроде бы обиделся Саша и приковал несчастного наручниками к входной двери.

— А это откуда? — забеспокоилась я.

— У него же и позаимствовал.

Мы пересекли холл и оказались в небольшой комнате, где, привязанный к стулу со ртом, заклеенным скотчем, сидел Юра и нервно мычал. Саша сорвал скотч, Юра взвыл, а затем матерно выругался, вздохнул и попросил:

— Развяжи меня скорее. — Но Саша не торопился, пристроился на подлокотнике кресла и заявил:

— Торопиться некуда. У нас есть вопросы.

Конечно, Юру это не обрадовало, он хмурился и даже гневно сверкал глазами, но на Сашу это особого впечатления не произвело.

— Между прочим, это из-за вас я оказался в дерьме по самые уши, — сообщил с обидой пленник.

— Спешил к нам на выручку?

— Теперь вижу, каким дураком оказался.

— Мы и без тебя справились, но все равно спасибо. Что ты рассказал Леве? — без перехода задал Саша вопрос. Юра вновь вздохнул, насупился еще больше и лаконично ответил:

— Все. Они спрашивать умеют.

— А поточнее нельзя?

— Сказал, что где-то здесь большие деньги и на них много охотников. А больше я сам ничего не знаю.

— Так-таки ничего? — широко улыбнулся Саша, я стояла в дверях, испытывая двойственное чувство. С одной стороны, хотелось поскорее сбежать отсюда, с другой — хорошенько расспросить Юру, но, так как именно этим в настоящий момент и был занят Саша, мне оставалось лишь помалкивать.

Юра с ответом не спешил, без удовольствия разглядывая Сашу, точно прикидывая, на что тот способен. Саша выдал лихую улыбку и стало ясно: способен на многое. Уверена, Юра решил именно так, потому что заговорил поспешно:

— Конечно, ничего. Кирилл лишнего не рассказывал. Там несколько миллионов, так кто ж будет языком мести налево-направо? Мы с Виталием должны были ждать его здесь, но Кирилл погиб. Нам позвонили по телефону и велели присматривать за девчонкой. — Тут он кивнул на меня.

— Кто позвонил? — спросил Саша.

— Откуда мне знать? Не представился, — обиделся Юра.

— Ты говори-говори, да не заговаривайся, — не поверил мой компаньон. — Эдак кто угодно позвонит, а ты побежишь приказ выполнять?

— Звонили на мобильный, который нам Кирилл оставил. Номер знал он и хозяин. Так что, выходит, хозяин и звонил.

— Что ты о нем знаешь?

— Ничего. Никогда его не видел. И разговаривал лишь однажды, да и то не я, а Виталий. Хозяин сказал ему, где тебя найти. Хозяина знал Кирилл и за деньги отвечал он.

— Что это вообще за деньги? — вмешалась я.

— Большие, — насмешливо ответил Юра. — Твой Витька... — В этом месте Юру посетило озарение, он хмуро взглянул на меня и заявил: — Но ведь ты... черт... это что же получается... — Взгляд его метнулся к Саше, тот согласно кивнул.

— Ничего хорошего не получается. Для тебя, по крайней мере. Скажи-ка, ты, случаем, на эти деньги не нацелился?

— С ума я сошел, что ли? Мое дело следить за девчонкой. Чего вылупился? — наблюдая, как изменилась Сашина физиономия, проворчал он. — Лучше подумай, далеко я уйду с этими деньгами, даже если мне очень повезет и я смогу их свистнуть?

— Маловероятно, что сможешь, — горестно заметил Саша. — Уж очень много желающих.

— Вот-вот...

— Значит, если мы тебя сейчас отпустим, ты позвонишь хозяину...

— Я не могу ему позвонить, — перебил Юра. — Это он может позвонить, а я нет.

— Занятно. Тогда что ты будешь делать?

— Не знаю, — подумав, ответил Юра. — Ждать указаний. Хотя...

— Что? — поторопил Саша, когда парень замолчал с тяжким вздохом.

— Тут сам черт ногу сломит. Кирилл погиб, ваш Витька в тюрьме... Кто и кому передаст деньги?

— Допустим, я могу их принять с благодарностью.

— Валяй, только гроб закажи, пока время есть, себе и девчонке.

— Когда должна состояться встреча?

— Уж об этом мне точно никто не потрудился сообщить.

— Но место ты знаешь?

— Знал Кирилл. Говорю, наше с Виталием дело ждать его здесь... черт, руки развяжи.

Саша, к моему удивлению, поднялся и в самом деле освободил его от пут, Юра был удивлен не меньше меня, удивление сменило подозрение, он потер руки, косясь на пистолет, который держал Саша, продолжая сидеть на подлокотнике кресла.

— Ты знаешь, что Витька в тюрьме, — не спеша заговорил Саша, разглядывая оружие в своей руке с таким видом, точно пытался вспомнить, откуда оно взялось. — Я хочу понять, что здесь творится. Пока сплошной туман.

— А твой Витька тебе случайно не сказал, когда состоится встреча?

— Он так же забывчив, как твой Кирилл, — съязвил Саша. — Между прочим, разобраться в том, что происходит, в наших общих интересах.

— Возможно, — пожал плечами Юра. — Только сдается мне, хозяин просек, что тут полный дурдом и никаких денег никто вовсе не получит. Зря ты губы раскатал, — со смешком добавил он, с вызовом глядя на Сашу. Тот и бровью не повел.

— Хозяин, как ты его называешь, наверняка больше всех заинтересован в том, чтобы понять, что здесь происходит. И сделку отменять не будет, если не дурак, конечно. Врагов надо знать.

Юра посидел, поскучал и вновь пожал плечами.

— Ничего общего я с этим иметь не желаю, говорю на тот случай, если ты все еще надеешься свистнуть эти деньги.

— Дело твое, — беспечно отозвался Саша, поднимаясь, и кивнул мне, направившись к балкону.

Номер располагался на первом этаже, и покинуть его через балкон труда не составило, хотя я предпочла бы дверь.

Не успели мы удалиться на приличное расстояние, как нас окликнул Юра, который вслед за нами покинул место своего заточения и тоже через балкон.

— Эй, — позвал он, — а что с этим Левой?

— Он хотел поучаствовать в игре. Ведь хотел?

— Ну...

— Дадим ему такую возможность.

— У меня небольшое дельце к этому уроду, — заметил Юра.

— Тогда нам по пути, — кивнул Саша. — Предлагаю союз. — И протянул руку. Юра неловко ее пожал, потому что второй рукой вынужден был придерживать свои брюки, стараниями Левушки оставленные без пуговиц и «молнии». — Не худо бы тебе переодеться, — заметил Саша, Юра кивнул, и мы отправились в наш номер.

Если честно, поведение Саши вызывало недоумение. Ясно, что Юра союзник ненадежный, спрашивается, на что он нам? Однако с вопросами я не торопилась. Юра, войдя в номер, отправился в ванную, а мы пошли добывать ему штаны.

— Ты уверен, что поступаешь разумно? — не удержалась я, когда мы остались одни.

— Покупая ему брюки? — удивился Саша.

— Если тебе нравится строить из себя идиота... — отмахнулась я, он заметно погрустнел и ответил серьезно:

— От Юры может быть польза. Правда, пока я не знаю какая, но могу пофантазировать. К примеру, неведомый хозяин позвонит ему еще раз, возьмет да и скажет, когда здесь появятся денежки.

— Занятно. И куда он позвонит? К нам в номер?

— На мобильный. Левушка его конфисковал, но с собой прихватить не догадался. Оставил на тумбочке, и Юра его, конечно, забрал.

— Откуда ты знаешь? — удивилась я.

— Видел.

— Должно быть, спиной... — Хоть я и не отказала себе в удовольствии съязвить, но теперь в поведении Саши усматривала некий смысл.

— Только не спрашивай меня о планах, — предваряя возможные вопросы, сказал он и ни с того ни с сего поинтересовался: — Ты любишь готовить?

— Не люблю.

— Жаль. Я тоже не люблю. Но когда нужда заставляет, просто закидываю в кастрюлю все, что удается найти в холодильнике. И знаешь, получается вкусно.

— Хочется верить, что тебе и в этот раз повезет, — хмыкнула я, а он поправил:

— Нам повезет.

— Хорошо, нам, — не стала я спорить.

На то, чтобы купить джинсы подходящего размера, ушло минут пятнадцать, но покидать рынок, что был неподалеку от отеля, Саша не спешил. Я чувствовала себя не слишком уверенно, везде мерещились враги, да и Лева сильно беспокоил. Наверняка уже вернулся и сейчас строит планы мести. Оказаться по соседству с ним в такое время весьма неразумно с моей стороны.

— Выпьем кофе? — предложил Саша, заметив маленькое кафе. Я без удовольствия согласилась, мы заняли столик, он подозвал официанта, а я поднялась и сообщила:

— Я на минутку.

— Куда ты? — вроде бы удивился он.

— Господи, в туалет, конечно. — Я направилась в глубь кафе, но потом сразу сменила траекторию, вышла в боковую дверь и вновь оказалась на улице в трех шагах от того места, где под полосатым тентом сидел Саша, в настоящий момент спиной ко мне. Он достал сотовый, набрал номер, произнес фразу: «Оставайся с ними», — и отключился. А я хмыкнула и покачала головой.

На ночь я устроилась на диване в гостиной, а мужчины делили постель, дверь в спальню была приоткрыта и оттуда доносилось негромкое похрапывание. Но что-то подсказывало мне, что в эту ночь никто не спал. Я-то уж точно.

В половине первого я натянула шорты, майку и босиком, держа шлепанцы в руке, покинула номер, осторожно прикрыв дверь. Путь мой лежал на пирс. Одинокий фонарь освещал надпись на борту. Трап был убран, и я с сожалением констатировала, что пробраться на борт с пирса невозможно, для этого как минимум нужно родиться обезьяной.

Мысленно чертыхаясь, я собралась лезть в воду, не оставив своей затеи попасть на яхту, но тут услышала перезвон гитары (кто-то, сидя на корме, настраивал инструмент). Я посоветовала себе не спешить и навострила уши. Потратив минут пять на бренчание, парень (я надеялась, что это был парень) заиграл мелодию, а потом запел. Ночь, море и звезды настраивали на лирический лад, так что выбору репертуара я не удивилась, признаться, он меня даже порадовал. Парень закончил одну песню и тут же начал другую, а затем и третью. Слова третьей я знала и мысленно поблагодарила свою маму, которая целых шесть лет водила меня в музыкальную школу, не слушая моих возражений. Последнее обстоятельство позволило мне подпеть парню, причем не только не испортив его выступления, но, говоря без лишней скромности, даже приукрасив его. Последний аккорд стих, и я увидела певца: перегнувшись через борт, он смотрел на меня и улыбался.

— Привет, — сказал как-то неуверенно.

— Это ты пел? — спросила я.

— Ага.

— Здорово. Ты музыкант?

— Пытаюсь им стать. А у тебя красивый голос.

— Спасибо.

— Отдыхаешь здесь?

— Да, вон в той гостинице. А это твоя яхта?

— Нет, я здесь вроде сторожа. Хочешь подняться?

— А можно? — усомнилась я.

— Почему нельзя?

— Вдруг тебе влетит?

— Так ведь никто не узнает.

— Лучше ты спускайся сюда и прихвати гитару.

Парень спустил трап и сошел на пирс с гитарой в руках. Мы познакомились, звали его Всеволод, и он показался мне симпатичным. Репертуар у него был обширным, концерт продолжался не меньше часа, впрочем, я не скучала. Однако для первого раза времени мы провели достаточно, я взглянула на часы и с грустью заметила:

— Мне пора.

— Может, все-таки поднимешься? — Надо сказать, он уже довольно давно смотрел на меня с огнем в очах, думаю, мое желание незамедлительно смыться вызвало у него приступ отчаяния, особенно если учесть, что занять ему себя было нечем.

— Мне действительно пора, — вздохнула я, добавив в голос печали.

— Я тебя провожу, — предложил он, с беспокойством взглянув на яхту.

— Лучше не надо.

— Завтра придешь?

— Попробую.

— Приходи. Я буду ждать. — Он взял меня за руку и пожал ее, не отважившись на большее, и слава богу.

Я припустилась к гостинице, очень довольная собой, однако стоило мне покинуть пирс, как от ближайших кустов отделилась фигура, и я ничуть не удивилась, узнав Сашу.

— Где тебя носит? — спросил он недовольно.

— Ты же видел, — усмехнулась я, подхватив его под руку. — Я познакомилась с парнем, — принялась я шептать с преувеличенным возбуждением. — Он один на яхте, говорит, за сторожа. Предлагал мне подняться.

— Да? Потрясающе. И что?

— Чем ты недоволен? — возмутилась я.

— Ты ведешь себя по-дурацки...

— Это ты ведешь себя по-дурацки. Я могла бы там все осмотреть...

— Как ты думаешь, будь деньги там, их бы доверили сторожить этому олуху? — Вопрос произвел впечатление, я нахмурилась, а Саша продолжил: — Зато некто может обратить внимание на твой повышенный интерес к яхте.

Продолжать разговор мне сразу же расхотелось, мы поднялись в номер, Юра сладко спал, натянув покрывало до самого подбородка, если бы я дала себе труд это покрывало приподнять, наверняка бы обнаружила парня полностью одетым. Что-то подсказывало мне, в номер он вернулся за пару минут до нас. Людское коварство ранило душу, я буркнула:

— Спокойной ночи. — И легла спать.

Утром я проснулась рано, мужчины еще спали, и похоже, это не было притворством. Постояв под душем, я выпорхнула из номера. Хотелось немного побыть одной и пораскинуть мозгами. От нечего делать я купила широкополую шляпу у уличной торговки, надела очки и направилась в ближайшее кафе выпить кофе и съесть мороженое. Первые отдыхающие потянулись на пляж, но кафе и набережная все еще выглядели пустынными.

Я сделала заказ, радуясь одиночеству, и устроилась неподалеку от стойки. Кафе отделял от тротуара невысокий поребрик, за спиной раздались шаги, а через секунду кто-то задел мое плечо, я испуганно обернулась.

— Извините, — улыбнулся мужчина, проходя мимо.

В первый момент я его не узнала и вдруг обратила внимание на браслет, подвески при ходьбе позвякивали, я замерла от неожиданности, не зная, что делать: то ли броситься отсюда со всех ног, то ли не подавать признаков жизни и немного понаблюдать. Передо мной был парень из отеля, именно он встретил Регину, затем решил устроить мне допрос с пристрастием, а потом благополучно смылся от Кирилла, хотя тот и поджидал его возле лодки. Конечно, появился он здесь не случайно. А вдруг он узнал меня, оттого и появился? Ведь я же его узнала, а ему что мешает? Данное открытие отваги не прибавило, я прекрасно знала, что парень — убийца. Однако вместо того, чтобы подняться и тихо смыться, я продолжала сидеть, очень сожалея, что не прихватила мобильный.

Между тем парень устроился возле стойки спиной ко мне, похоже было, что я его совершенно не интересую. Через дорогу я заметила телефон-автомат, но от него мало пользы, раз карточки у меня нет.

— Вот ты где, — услышала я совсем рядом и обнаружила в двух шагах от себя Сашу. — Я был убежден, что ты с утра пораньше рванула на яхту.

— Заткнись, пожалуйста, — прошипела я, боясь, что он обратит на себя внимание парня с браслетом. Саша плюхнулся на стул и спросил тихо:

— В чем дело?

— Парень возле стойки. Это он убил Регину. По крайней мере, именно он встретил ее в тот день в аллее и от него она пыталась сбежать.

— Та-ак, — протянул Саша, достал мобильный и куда-то позвонил. Через минуту стало ясно, звонил в гостиницу. — Юра, мы в кафе «Ласточка», — коротко сообщил он. — Здесь появился один тип, надо бы за ним проследить, объяснять, что к чему, времени нет, но будь осторожнее. — И продиктовал номер своего мобильного.

— Ты доверяешь Юре? — с сомнением спросила я. Он пожал плечами.

— А что прикажешь делать?

Парень выпил стакан сока, по-прежнему сидя возле стойки, похоже, он кого-то ждал, закурил, о чем-то лениво болтая с барменом. Прошло минут десять, неожиданно со стороны набережной появился мужчина, высокий, в светлом костюме, с длинным заостренным лицом, наполовину скрытым темными очками и шляпой с зеленой ленточкой, он приветливо улыбнулся бармену и устроился неподалеку от парня, тот даже не взглянул в его сторону.

Мужчина сделал заказ, бармен отошел к другому краю стойки, где была электрическая кофеварка, и оказался к обоим спиной, в тот же миг жестом фокусника мужчина извлек из кармана клочок бумаги и передвинул его по стойке парню, тот с не меньшей виртуозностью быстро опустил его в карман.

— Что там происходит? — недовольно спросил Саша.

— Он ему что-то передал, — прошептала я.

— Ты видела раньше этого типа?

— Нет, — ответила я, но как-то неуверенно, то есть до того мгновения я была убеждена, что никогда его ранее не встречала, но после вопроса усомнилась: что-то было знакомым в его облике, впрочем, очень может быть, что я фантазирую.

Тут Саше позвонили на мобильный. Звонил Юра.

— Их двое, — коротко сообщил Саша. — Мой тот, что в шляпе. — И дал отбой.

Парень с браслетом расплатился и не спеша двинул в сторону набережной. Шляпа выпил кофе, извлек из кармана пиджака газету и принялся ее просматривать. На это у него ушло минут пятнадцать, после чего он кивнул бармену и тоже отправился восвояси. С интервалом в минуту поднялся Саша.

— Жди в номере. И, пожалуйста, будь осторожна. Кажется, нас ожидают великие события.

В номер я вернулась. Сначала устроилась на балконе, но поспешно оттуда ретировалась: Саша прав, следовало быть осторожнее. Я настраивала себя на долгое ожидание, но Саша вернулся уже через полчаса. Стукнул в дверь, я с беспокойством спросила:

— Кто? — И, услышав его голос, открыла.

Физиономия его была недовольной, он прошел и на мой немой вопрос ответил:

— Я его упустил. А что ты хочешь? Я ветеринар, а не секретный агент и навыкам слежки не обучен.

Я лишь пожала плечами. Юра не возвращался долго, ближе к обеду я начала проявлять беспокойство.

— Может, не стоит нам сидеть в номере? Что, если Юра спелся с нашими врагами?

— Он звонил мне.

— Когда?

— Я как раз возвращался в гостиницу. Сказал, что парень бестолково мечется по набережной, похоже, проверяет, нет ли хвоста.

— О господи... Позвони ему. Он уже больше четырех часов где-то бродит.

— Звонок может быть не ко времени.

— Тогда я просто не знаю, что делать. Но сидеть здесь нет никаких сил.

— Хорошо, — кивнул он, — прогуляемся по набережной.

Теперь по набережной сновали толпы отдыхающих, вместо того, чтобы почувствовать себя в безопасности в этом людском море, я, наоборот, ощутила нечто сродни паники, каждую секунду ожидая, что вдруг откуда ни возьмись появится Лева или судьба преподнесет еще какой-нибудь сюрприз. То, что непременно преподнесет, казалось безусловным, сердце билось как после быстрого бега, а руки вспотели. Конечно, в моем положении приступ безотчетной тревоги вполне извинителен, но это все-таки скорее напоминало предчувствие.

— Звони ему, — зло сказала я, Саша посмотрел на меня, нахмурился, но позвонил.

Юра не ответил, мою тревогу это лишь усилило.

— Если он следит за этим типом, наверное, ответить просто не может, — сказал Саша, пытаясь выглядеть спокойным, но ему это плохо удавалось.

Волнение мое к тому времени достигло критической точки, и я почувствовала настоятельную потребность сесть, оттого и свернула в парк, который начинался прямо возле набережной. Здесь было относительно прохладно, поэтому почти все скамейки заняты, мы пошли по аллее в глубь парка. — Вон там свободно, — кивнул Саша, угадав мои желания.

— Позвони еще раз, — попросила я.

— Бесполезно.

— Позвони.

Саша набрал номер, я слышала гудки, а потом услышала сигнал мобильного, кому-то очень настойчиво звонили, а этот кто-то и не думал отвечать. Взгляд мой переместился на скамейку возле кустов акации, и я увидела Юру.

Саша его тоже увидел, потому что сказал:

— Вот он... — Но голос звучал безрадостно, даже испуганно, да и не было повода радоваться. Юра сидел нахохлившись, свесив голову на грудь, и вроде бы спал. Мы торопливо подошли.

— Юра, — позвала я, уже зная, что ответа не услышу. Саша коснулся рукой его плеча, и Юра повалился на скамейку, точнее будет сказать, повалилось его бездыханное тело. Руки его бессильно повисли, голова запрокинулась, и теперь был виден синий след на шее.

— Его задушили, — пробормотал Саша, скорее для себя, чем для меня. — И как минимум пару часов назад.

Тревожно оглядываясь, я попятилась, Саша схватил меня за руку и повел прочь.

— Черт, — прошипел он сквозь зубы. — Мы упустили обоих.

— Я хочу позвонить Аркадию, — твердо сказала я. — А еще вызвать милицию. Надо все это как-то прекратить.

— Аркадий не позволит тебе выйти из игры, а милиция ничем не поможет. Мы должны найти этого сукина сына.

— Парня с браслетом?

— И его, и мистера Икса. Уверен, это его проделки.

Я взглянула на Сашу с сомнением, но сочла за благо промолчать. Мы вернулись в номер, я закрылась в спальне и на Сашины попытки выманить меня оттуда не реагировала. Вскоре негромко хлопнула входная дверь, а тишина в номере прозрачно намекала на то, что я осталась одна. Это, однако, облегчения не принесло. Саша появился часа через два с пестрым рюкзаком в руках.

— Что это? — спросила я.

— Снаряжение для подводного плавания, — охотно пояснил он. — Пора нам что-то для себя сделать.

Мы наскоро перекусили в ближайшем кафе и отправились на пляж, по дороге Саша меня инструктировал.

— Отправляйся на яхту. Если твой вчерашний знакомый один, попробуй выманить его на берег.

— А что будешь делать ты?

— Искать сокровища, разумеется, — серьезно ответил он.

Неподалеку от пирса мы разделились, и я направилась к яхте. Севка на корме бренчал на гитаре. Завидев меня, радостно улыбнулся и замахал руками.

— Чего так долго? — спросил ворчливо, спуская трап. — Я тебя с утра жду.

— Так рано я не встаю. Пойдем купаться?

— Нельзя мне эту посудину оставлять, — вздохнул он.

— Ты один?

— Конечно. Поднимайся сюда.

Я подумала и поднялась, хотя с Сашей мы договаривались о другом.

Яхта оказалась совсем маленькой, на ее осмотр ушло минут пятнадцать. В рубке на стене я обратила внимание на фотографию. Поначалу я решила, что это открытка. Такса лежит в обнимку с пушистым котом, глаза у обоих невероятно голубые, но, подойдя ближе, я смогла убедиться, что это не открытка, а любительская фотография. Голубой цвет вовсе не цвет радужной оболочки, это зрачки, и невероятный оттенок они скорее всего приобрели из-за вспышки фотоаппарата.

— Твои звери? — кивнула я на фотографию.

— Нет. Я вообще-то не любитель. Наверное, хозяина.

— А кто хозяин?

— Черт его знает, — услышала я в ответ. — Сначала думал, что Вовка, это он яхту сюда пригнал и меня он нанял еще в Анапе. Но потом оказалось, что он ее арендует. У него здесь друзья, вот и загулял малость, второй день даже не показывается. Правда, сегодня звонил, предупредил, что послезавтра отчаливаем.

— Жаль, — улыбнулась я.

— Да меня, собственно, ничто не держит на этой яхте, — туманно заметил Севка, и я поспешила покинуть рубку.

Мы поднялись на палубу.

— Жарко, — сказала я.

— Можно искупаться, — предложил Севка, — вода здесь чистая.

— Я предпочитаю пляж.

— Не бросай меня, — попросил он шутливо.

Мы нырнули прямо с борта и наперегонки начали удаляться от берега. За полчаса, что бултыхались в воде, Севка ни разу не вспомнил, что он сторож. Тут выяснилось, что удалились мы на весьма значительное расстояние, а я изрядно устала, в общем, обратный путь занял очень много времени, Севка держался рядом и с беспокойством на меня поглядывал. Когда мы наконец забрались на палубу, я решила, что сделала все, что могла. Звонка на мобильный за время моего отсутствия не поступало, следовательно, Саша все еще на яхте, на всякий случай стоило держать Севку на палубе, оттого я устроилась на корме и он, конечно, тоже.

Лениво болтая, я чутко прислушивалась, никакого подозрительного шума. Севка придвигался ко мне все ближе и ближе, и я решила, что пора сматываться.

— Который час? Боюсь опоздать на ужин.

— Оставайся, поужинаем здесь. Я рыбу жарю так, что пальчики оближешь.

— Я ведь не предупредила...

— Ты с кем отдыхаешь?

— С братом, — легко соврала я. — Он старше на два года и по этой причине обожает командовать. Мне действительно пора.

— После ужина придешь?

— Если получится... — Я торопливо оделась и покинула борт, Севка выглядел грустным.

Сойдя с пирса, я принялась оглядываться. Саша до сих пор не позвонил, так что выходило, что он все еще на яхте, но почему-то я в этом сомневалась, оттого весьма настойчиво обшаривала взглядом пляж с обеих сторон. И не напрасно, как выяснилось. Саша выходил из кабинки для переодевания. Вслед за этим прозвучал звонок на мобильный.

— Как дела? — спросил он.

— У меня нормально. А у тебя?

— Если одним словом: никак. Встретимся в гостинице.

Мы могли бы встретиться ровно через минуту у входа на пляж, но сообщать об этом Саше я сочла излишним. Устроилась в тени деревьев, дождалась, когда он выйдет на набережную, и пристроилась сзади.

Сразу стало ясно, идет он не в гостиницу, путь его лежит в противоположном направлении, и мой, конечно, тоже. Он шел не спеша, ни разу не оглянувшись, и я тоже не торопилась. Вскоре появилось здание вокзала, туда Саша и отправился. Войдя в здание, быстро огляделся и пошел к автоматическим камерам хранения.

Если честно, я даже не пряталась, просто держалась сзади. Ячейка в первом ряду оказалась свободной, Саша забросил туда свой рюкзак и набрал код, букву «С» и цифры, наверняка дату своего рождения, с того места, где я стояла, отлично было видно, как он это проделывает, при всем желании невозможно было бы сказать, что парень скрытничает, ничего подобного.

Дверца захлопнулась, а он, насвистывая, побрел дальше по проходу, так что беспокоиться, что мы столкнемся нос к носу, мне не пришлось.

Выждав пять минут, я подошла к ячейке и легко ее открыла, извлекла рюкзак и сунула в него свой нос, под маской, ластами и прочей ерундой в целлофановом пакете лежали пачки долларов. Я хмыкнула, запихнула вещи обратно в рюкзак и немного прошлась в поисках свободной ячейки. Таковая незамедлила найтись. Оригинальностью я саму себя потрясать не стала, набрала первую букву своего имени, дату рождения и дверь захлопнула. А потом заспешила в гостиницу. Чтобы прибыть туда раньше Саши, пришлось взять такси.

Он задержался, должно быть, потратил время на покупку рюкзака, по виду он ничем не отличался от первого.

— Рассказывай, — потребовала я.

— Нечего рассказывать, — ответил он со вздохом. — Как я и предполагал, денег там нет.

— Может, плохо искал?

— Уж как умею. Хочешь, сама попробуй.

— И что дальше?

— Пойдем ужинать.

— Разумно. Кстати, Севка сказал, что послезавтра яхта отчалит.

— Что ж, значит, все произойдет в ближайшее время. — Звучало это отнюдь не оптимистично.

— Сдается мне, ты несколько охладел к деньгам, — заметила я.

— Вовсе нет, просто трезво оцениваю наши шансы. Главная задача выяснить, кто у нас мистер Икс, тогда Аркадий оставит тебя в покое.

— Тронута твоей заботой, — съязвила я.

— Что ты злишься? — удивился Саша. — Переживаешь из-за денег?

— Еще бы...

Ужинать мы пошли в ресторан гостиницы. Зал был заполнен до отказа, мы устроились недалеко от эстрады за столиком на двоих. Саша был непривычно молчалив, я тоже к разговорам не стремилась. Заказ ждали долго.

— Я в дамскую комнату, — сообщила я, поднимаясь. Саша проводил меня настороженным взглядом, а я, покинув зал, свернула направо и тогда увидела его. Он шел по параллельному коридору, друг от друга нас отделяла стена из прозрачного пластика. Он был в той же шляпе и в том же светлом костюме, глаза по-прежнему скрывали очки. Человек из бара, которого Саша сегодня утром упустил, не спеша шел по коридору.

Он не сбился с шага и не притормозил, но я поняла, что он меня заметил, более того, он знает, кто я. Каким-то непостижимым образом стало ясно: он знает. И мы уже когда-то стояли вот так друг против друга и между нами была стена... нет, дверь. Конечно, дверь. Этот гад убил Кирилла и пытался убить меня. Я продолжала двигаться, не чувствуя под собой ног, и он прошел мимо, вроде бы не глядя в мою сторону. Я влетела в туалет, открыла холодную воду и умылась. «Спокойно, — бормотала я, тряся головой. — Спокойно». Потом заперлась в кабинке, достала сотовый и набрала номер Аркадия.

— Где вы? — рявкнул он так, что я вздрогнула.

— В туалете. — Тут мне стало стыдно, и я коротко и доходчиво объяснила, куда меня занесла нелегкая.

— В морге труп нашего знакомого, — продолжал гневаться Аркадий. — Вы ведете себя как...

— Они здесь, — перебила я. — Приезжайте немедленно. Они оба в гостинице.

— Кто? — обалдел Аркадий.

— Да откуда мне знать? — взвилась я. — Два типа, и оба убийцы. Я боюсь. Вытащите меня отсюда.

— Из туалета? — «Ну вот, теперь ему пришла охота острить».

— Идите к черту, — прорычала я и отключилась, очень жалея, что позвонила ему. Саша прав, Аркадий не позволит мне выйти из игры и ничего не прояснит, только все еще больше запутает.

Я вернулась в зал. Заказ уже принесли, но Саша к нему не притронулся.

— Он здесь, — шепотом сообщила я.

— Вижу, — кивнул он.

— Где? — Признаться, я растерялась.

— У эстрады с той стороны. Явился минут пять назад, стол был заказан.

Я взглянула в том направлении. За столом сидел парень с браслетом.

— Это не он, — пробормотала я.

— Как не он? — нахмурился Саша.

— Я хотела сказать, я видела того, другого...

— Выходит, у них здесь назначена встреча и он сейчас появится.

— А если нет? — усомнилась я.

— Ты сама себе противоречишь. Ведь ты видела его?

— Да. Видела. Он шел в сторону ресторана, только по служебному коридору. Саша, он узнал меня. Я почти уверена, что узнал.

— Но каким образом?

— В кемпинге был он. И Кирилла убил он. И он меня, конечно, видел.

— О, черт...

— Если он узнал меня, то будет осторожен и вряд ли появится.

— Главное, не потерять из вида парня с браслетом. Он до сих пор сидит за столом, следовательно, встречу никто не отменил.

Следующие полчаса прошли в страшном напряжении. Само собой, кусок в горло не лез, я пялилась на парня, одиноко сидевшего за столиком, признаков волнения в его поведении не было. Сидит себе человек, ужинает в одиночестве.

На эстраде появилась длинноногая девица, поприветствовала публику. Вслед за ней выпорхнул танцевальный дуэт, им вяло похлопали. А потом появился фокусник. Тот самый. Лицо с толстым слоем белил, рот от уха до уха и красный шарик вместо носа. Мы с Сашей переглянулись и издали дружный стон.

— Господи, как все просто, — прошептал Саша. — Вот он, таинственный мистер Икс.

— Почему он? — насторожилась я.

— А ты пораскинь мозгами. Речь идет о больших деньгах, вполне естественно, дядя намерен держать операцию под контролем, что он и делает, кочует из отеля в отель и всегда оказывается в нужном месте в нужное время. — Я перевела взгляд на фокусника, колода карт из его ловких рук взметнулась над головой, но пола ни одна карта не коснулась, все исчезли как по мановению волшебной палочки. — Виртуоз, — хмыкнул Саша, но комплимент скорее относился не к ловкому фокусу, а к его скрытым талантам.

— Подожди, — облизнув губы, прошептала я в крайнем волнении. — Я не понимаю...

— Давай с самого начала. В отель приезжает Регина, чтобы встретиться с Кириллом. Должно быть, фокусник уже подозревал ее в сотрудничестве с известными органами, подозрения решил проверить. Вскоре там появляется парень с браслетом, который скорее всего работал на себя, он убивает Регину, и вместо нее возникает девка с шикарным бюстом из окружения Витеньки, которая, кстати, вскоре погибает после разговора с неизвестным.

— И этим неизвестным был фокусник?

— Конечно. Дядя видит, что все идет вкривь и вкось, и решает устроить всеобщую проверку на вшивость. Так как Кирилл зачем-то прихватывает тебя из отеля, то автоматически попадает под подозрение. Кирилл, как известно, знал хозяина, оттого тоже скончался, такие типы обычно легко разделываются с дружками, лишь только запахнет жареным. Он и от тебя пытался избавиться, так, на всякий случай, но тут ему не повезло. Потом он видит тебя в гостинице в поселке...

— И вновь появляется труп, — подсказала я.

— Точно. Боюсь, трупы для него не проблема. — С этими словами Саша тоскливо взглянул на парня с браслетом, как будто прощался с ним навеки.

— Думаешь, он... — шепнула я, но договорить не успела.

— Это логично, — пожал плечами Саша.

— Подожди, но, если парень с браслетом работает на себя, зачем ему встречаться с фокусником?

— Ты что, забыла? Ему, как и нам, нужны деньги, а фокуснику необходимо знать, кто его враги.

Номер закончился, фокусник раскланялся, а парень с браслетом поднялся из-за стола и направился к боковой двери.

— За ним, — скомандовала я и первой бросилась в ту сторону.

И тут произошло неожиданное. Навстречу шла официантка с подносом, впопыхах я случайно задела его, и поднос опрокинулся, разумеется, на меня. Я что-то рявкнула, девушка принялась бормотать извинения, схватила салфетку, Саша бестолково топтался рядом. Разозлившись, я оттолкнула девицу и кинулась к боковой двери, Саша за мной, но коридор к тому моменту был уже пуст.

— Где он? — взвыла я, сообразив, что парня мы упустили.

— Сцена в той стороне, — кивнул Саша, — скорее всего, туда он и направился.

Мы резво затрусили по коридору, впереди была открытая веранда, до нее оставалось метров пять, когда мы услышали сдавленный крик, удвоили рвение, но веранда оказалась пустой. И тут внизу истошно закричала женщина, я кинулась к перилам, перегнулась и увидела внизу, на мраморных плитах, парня с браслетом, он лежал, раскинув руки, а возле него уже собралась толпа.

— «Скорую», «Скорую», — кричал кто-то, подошел мужчина, наклонился и махнул рукой.

— Труп, — в полном очумении выдохнула я.

— Естественно, — кивнул Саша, — третий этаж...

— Он его убил... — Руки у меня дрожали, когда я доставала сотовый.

— Кому ты собираешься звонить?

— Аркадию, черт бы его побрал.

— Давай, а я попробую найти фокусника. — Саша пересек веранду и скрылся в коридоре, а я с опозданием крикнула:

— Ты с ума сошел, он же убийца. — Номер я набрала, но женский голос сообщил, что абонент временно недоступен. — Да они что, все с ума посходили? — Я заревела с досады и бестолково заметалась по веранде, затем взяла себя в руки (вернее, попыталась) и бросилась за Сашей, вопя во все горло: — Фокусник, держите фокусника. — Навстречу бежали какие-то люди, и это придало мне силы. — Кто-нибудь видел фокусника? — кричала я, хватая граждан за руки.

Вдруг кто-то, в свою очередь, схватил меня не за руки, а за плечи, и знакомый голос прошептал:

— Привет, дорогая.

Я повернулась и обнаружила Левушку, но в тот момент даже ему обрадовалась.

— Лева, надо схватить фокусника. Он убийца.

— Обязательно, — кивнул он, увлекая меня к лестнице. — Сейчас мы всех схватим. — Рядом маячили три доверенных лица, один взирал очень злобно, должно быть, тот самый, что сторожил Юру, конечно, у парня ко мне претензии.

С лестницы мы спустились бегом, стало ясно, Левушка никого ловить не намерен, ему и меня хватит за глаза. Лестница закончилась возле двери, былой возлюбленный толкнул ее, и мы оказались на улице, прямо напротив стояла машина, в нее мы и загрузились.

— Лева, прежде чем ты совершишь большую глупость... — начала я, немного отдышавшись, но в тот момент в его планы не входило быть романтическим героем, оттого он перебил весьма невежливо:

— Заткнись. — И я, зная его характер, само собой заткнулась.

Привез он меня в тот самый номер, где недавно Юра был пленником, парни поспешно скрылись с глаз, мы остались в комнате одни. Лева снял пиджак, закатал рукава рубашки, пихнул меня в кресло, нависая Пизанской башней, в том смысле, что его здорово перекосило от бешенства. Приготовления мне не понравились, и я перешла на жалобное поскуливание.

— Ты можешь злиться на меня, сколько хочешь, но я не могла поступить иначе. Если бы я не выманила тебя из номера, меня бы попросту убили. Дада. Он так сказал, и я поверила.

— Ты подлая тварь, — взревел он и вроде бы даже замахнулся, а я заорала:

— Не суйся в это дело, придурок. Там уже полно трупов.

— Лучше скажи: там полно денег. Разве нет?

Я сцепила зубы, глядя на него в большом гневе. Конечно, он редкий идиот, он искусно портил мне жизнь последние полгода, и здесь я очутилась благодаря ему, и то, что со мной произошло на сказочном юге, тоже, по большому счету, из-за него. Но он был моим возлюбленным, и некоторое время мне даже казалось... короче, я не хотела видеть его очередным трупом.

— Сядь, — произнесла я спокойно, он пододвинул стул и сел, уставившись на меня. И я все ему рассказала, это был единственный способ заставить его убраться из этого города. — Теперь ты понимаешь? — закончила я свое повествование, на это ушло полчаса времени. Лева слушал внимательно, не перебивая, а теперь глумливо ухмыльнулся.

— Хочешь, чтобы я уехал отсюда? — спросил он.

— Хочу, чтобы ты остался жив. Если б не ты, мы

бы схватили фокусника и Аркадий с его дурацкой спецслужбой оставил бы меня в покое.

— То есть я уеду, а ты тут будешь трахаться с этим типом?

— О господи, — затосковала я. — Ты хоть слышал, что я сказала?

— Слышал, дорогая. Зря ты меня дураком считаешь, зря. Ты думала, что спрячешься от меня, но, чтоб тебя найти, мне потребовалось всего несколько часов. — Лева сел на любимого конька и вновь вообразил себя всемогущим. Продолжать разговор не имело смысла, но я все же попыталась.

— Лева, очень тебя прошу...

— Заткнись, — покачал он головой. — Зря ты меня считаешь дураком, — повторил он с обидой. — Я тебе докажу, что это не так. Ты сейчас же отправляешься в аэропорт и летишь домой, а я здесь немного задержусь, закончу дела. И вот тогда посмотрим...

— Ты не можешь... — заревела я с досады, и это явилось стратегической ошибкой, не слезы, конечно, а словосочетание «ты не можешь».

— Где деньги? — рявкнул он, хватая меня за волосы, и больно дернул. — Говори, я не шучу. — Мог бы и не предупреждать, я и без того видела: не шутит. — Где деньги? — повторил он.

— Не знаю, — скривившись от боли, ответила я. — Но подозреваю, что на яхте.

— На какой яхте?

— «Триумф». Причалила на днях.

— Ах, вот почему ты там ошивалась.

Я взглянула на него с уважением, не удержалась и спросила:

— Ты следил за мной?

— Конечно. И за твоим хахалем тоже.

— Ты знаешь, кто убил Юру? — спросила я, потому что этот вопрос очень меня волновал.

— Парень, что сегодня сиганул с третьего этажа, — самодовольно ответил Левушка. — Хотя ему, скорее всего, помогли.

— Конечно, помогли. Фокусник убирает свидетелей. Лева, там нет никаких денег. Фокусник опытный преступник, его разыскивают спецслужбы, и он затеял все это, чтобы разделаться с людьми, которых подозревает в предательстве. Понимаешь? Очень тебя прошу, не лезь в это дело.

Он довольно засмеялся, надел пиджак и громко позвал:

— Славик... — На зов тут же явилось доверенное лицо. — Отвези ее в аэропорт и проследи, чтобы она улетела.

— А у меня паспорта нет, — осчастливила я.

— Есть, — порадовал он и продемонстрировал мне мой собственный паспорт.

— Сестрица сошла с ума, — констатировала я.

Славик отнесся к заданию ответственно и первым делом нацепил на меня наручники.

— Идиот, — сказала я, но он не отреагировал, запихнул меня на заднее сиденье машины и устроился за рулем. Лева проводить меня не вышел, видно, здорово злился.

Мотор заработал, мы тронулись с места, но далеко уехать нам не удалось. Откуда-то вынырнула машина ГИБДД, нам приказали остановиться, а впереди уже тормозила иномарка, подрезая нас, и оттуда показался Аркадий в сопровождении Павла, оба, как всегда, в пиджаках и при галстуках.

Славика выволокли из машины, обыскали и увезли в неизвестном направлении, а Аркадий устроился рядом со мной, правда, наручники поспешил снять, благодарить его за это я не стала, а со вздохом поинтересовалась:

— Фокусника схватили? — Хотя могла и не спрашивать, физиономия Аркадия довольством не сияла, так что я не удивилась, услышав в ответ:

— Он ушел.

— Разумеется, как же иначе. — Язвить — дело недостойное, но удержаться я не смогла. — Вряд ли он появится на яхте, — добавила я печально. — Это было бы очень глупо.

— С чего вы вообще взяли, что встреча произойдет на яхте?

— Юра сказал, — легко соврала я.

— И вы решили, что ему можно верить? — Я пожала плечами.

— Кажется, ваша операция с треском провалилась. Между прочим, я старалась, как могла, неужто вправду в тюрьму отправите?

— Еще не все потеряно, — оптимистично заявил он, я лишь вздохнула. — Возвращайтесь в гостиницу, — добавил Аркадий, а я разозлилась:

— Какой в этом смысл? Он был у вас в руках...

Неужели для спецслужбы такая большая проблема отыскать человека? Ведь узнать о нем теперь можно предостаточно.

— Допустим, и что? Что мы ему предъявим? Ваши показания, где вы заявляете, что он тот самый разыскиваемый нами преступник? Брать его надо с поличным. — Я разглядывала свои руки и не особо вслушивалась, разговор не увлек. Саша оказался прав, Аркадий не позволит мне выйти из игры, в нем живет глупая надежда, хотя человек, которого он пытается схватить, и умнее, и удачливее его. — Возвращайтесь в гостиницу, — повторил он в конце длинной нудной лекции.

— Уберите Левку из города, — попросила я. — Он себе шею свернет. — Тут я решила, что для Аркадия это не аргумент, и добавила: — И всю операцию завалит. — Еще раз вздохнула и отправилась в гостиницу.

Дверь была заперта. Я постучала несколько раз и уже начала беспокоиться, но тут дверь распахнулась, и я увидела Сашу, ощутив при этом нечто подозрительно напоминающее счастье. Вот уж что мне совсем ни к чему, так это взять и влюбиться в такого типа. Похоже, с умными мыслями я несколько запоздала.

— Проходи, — шепнул он, пропуская меня в комнату, я-то ожидала вопросов, но он с ними явно не спешил, вскоре стала понятна причина такого поведения, в номере он был не один.

В кресле сидел грузный мужчина лет тридцати

пяти, с суровым лицом и наметившейся лысиной. При моем появлении на лице его появилось нечто вроде удивления.

— Знакомьтесь, — улыбнулся Саша, — это мой друг Виктор. А это моя девушка.

— Ирина, — пришла я ему на помощь. Мужчина поднялся и с подобием улыбки пожал мне руку, на Сашу взглянул так, точно просил объяснить, что происходит.

— Виктор приглашает нас на морскую прогулку, — как ни в чем не бывало продолжал болтать Саша, игнорируя мои и его заинтересованные взгляды. — Сегодня вечером. Часиков в одиннадцать. Как тебе такая идея?

— Я не против, — пробормотала я, мало что понимая.

— Отлично, — кивнул Виктор. — Значит, в одиннадцать. — И поспешно откланялся.

Только за ним закрылась дверь, как я полезла с вопросами.

— Кто это?

— Ты же слышала, мой дорогой друг по имени Витя.

— Тот самый? Но ведь он должен быть в тюрьме?

— Деньги творят чудеса. Впрочем, арестовали его по пустяковому поводу. Похоже, что твои друзья из спецслужбы толком ничего не могут...

— Но ведь он... он знал Регину и теперь...

— Я сказал ему, что она погибла. Он не очень огорчился. Было даже немного обидно. Деньги его волнуют гораздо больше, вот и примчался на всех парах.

— Выходит, эти деньги все-таки на яхте?

— Ага. Или появятся там сегодня.

— Это он сказал?

— Нет, конечно. Но догадаться нетрудно.

— Постой, — нахмурилась я. — Но если сегодня они появятся на яхте, тогда какого черта он пригласил нас на эту дурацкую прогулку?

— Что может быть невиннее встречи старых друзей? — улыбнулся Саша. — В любом случае, для нас это настоящая удача. Разве нет? — Я в этом здорово сомневалась, но возражать не стала.

В 23.05 мы были на пирсе. Саша держал меня за руку, был весел, без нервозности и вроде бы совершенно спокоен. Однако карман пиджака подозрительно топорщился, и это навевало невеселые думы. Трап был спущен, с яхты доносилась веселая музыка, что-то латиноамериканское, на палубе сияли гирлянды огней, в общем, вечеринка обещала быть удачной.

Мы поднялись на борт, на низком стульчике возле трапа с постным видом сидел Севка. Увидев меня, округлил глаза и попытался что-то сказать, но, остановив свой взгляд на Саше, рот прикрыл и только насупился. Навстречу нам шел Виктор, одетый в светлые брюки и гавайскую рубашку, он счастливо улыбался, как и положено радушному хозяину. Пока они здоровались с Сашей, я улучила момент и шепнула Севке:

— Сматывайся. — Глаза его стали похожими на блюдца, а я добавила: — Сматывайся, тебе говорят.

На палубе возле мачты был накрыт стол, судя по количеству приборов, гостей должно быть четверо, не считая хозяина. Вскоре из рубки появились двое мужчин, лица без улыбок, не похоже, что это гости, они кивнули нам, Виктор их не представил, и они устроились в шезлонгах. Снизу послышался женский голос, и на палубе появилась дама лет тридцати пяти в косынке, широких брюках и блузке с матросским воротником, ее поддерживал за руку толстый коротышка.

— Кажется, все в сборе, — заметил Виктор, подошел к рубке и крикнул: — Отчаливаем.

Яхта медленно начала отходить от пирса; перегнувшись через борт, я смогла с удовлетворением констатировать, что Севка внял моему совету. Дама с толстяком, я, Саша и Виктор столпились возле правого борта, наблюдая за огнями пирса, двое парней продолжали сидеть в шезлонгах. Скорее всего, это не гости, а очередные доверенные лица, на этот раз Витькины.

Яхта совершила маневр и теперь, набирая скорость, взяла курс в открытое море.

— Господи, как красиво, — восторженно залепетала дама, звали ее Анна Петровна.

— Не торопись с восторгами, дорогая, — хихикнул толстяк. — Меня, к примеру, всегда укачивает.

— Витька должен передать деньги толстяку? — прошептала я на ухо Саше, пользуясь тем, что он, желая придать нам вид влюбленной пары, обнял меня и прижал к груди.

— Наверное, — ответил он, касаясь губами моей щеки.

— А нам что делать?

— Понятия не имею. — Я заглянула в его глаза, пытаясь определить, серьезно он говорит или нет. — Ты красивая, — заявил он. — И ты мне нравишься.

— Ты мне тоже, — не осталась я в долгу.

Яхта развернулась и пошла вдоль берега.

— Прошу к столу, — весело сказал Виктор.

Мы любовались панорамой ночного города и с аппетитом откушали. Несмотря на поздний час, жизнь в этой части планеты шла полным ходом, не одни мы тяготели к морским прогулкам, две маленькие яхты и одна большая прошли довольно близко, сновали шустрые моторки, одна едва не задела нас бортом, вызвав у Виктора гримасу неудовольствия.

Вновь что-то стукнуло о борт, один из парней поднялся из шезлонга и отправился вниз. Прошло минут десять, поднялся второй и тоже исчез, а через несколько минут прогремел первый выстрел. Потом их было много, и они уже не производили такого впечатления, но тот, первый, поверг меня в шок.

— Что это такое? — спросила Анна Петровна. Все переглянулись в недоумении, Витька бросился к рубке, дама завизжала, потому что палить принялись всерьез, а Саша, схватив меня в охапку, потащил к корме. Здесь был какой-то здоровенный ящик, в него он меня и запихнул, весьма невежливо, кстати сказать.

— Сиди здесь и не высовывайся, — напутствовал он меня, захлопнув крышку.

Оказавшись в кромешной тьме, в неудобной позе (пришлось скрючиться и уткнуться носом в колени), я громко клацала зубами от ужаса и пыталась понять, что происходит на яхте. Судя по производимому шуму, там развернулось настоящее сражение. Один раз знакомый голос совсем рядом заорал: «Давай на левый борт», а я в сердцах чертыхнулась: Левушка. И вдруг все неожиданно стихло.

Крышка над моей головой поднялась, и я увидела Сашу.

— Вылазь, — скомандовал он, хватая меня за руку. Не помня себя от страха, я выпорхнула на свет божий. Палуба напоминала поле битвы. Вытянувшись, скрючившись, раскинув руки или подобрав их под себя, лежали трупы. Я насчитала семь. Возле мачты сидела Анна Петровна, хватая ртом воздух, как рыба на берегу, рука ее покоилась на бездыханной груди толстяка. Саша рывком поднял ее, поволок к борту, она закричала, принялась колотить его кулаками, он легко перебросил ее за борт, раздался всплеск и вопль:

— Вот сволочь... — Из чего я заключила, что шок у дамы прошел.

— Теперь наша очередь, — улыбнулся Саша, и мы, взявшись за руки, прыгнули в черную воду. Я вынырнула первой и попыталась отдышаться, тревожно огляделась, Саша появился слева, отплевываясь и убирая волосы с лица. — Давай к берегу, — крикнул он.

Мы торопливо удалялись от яхты, вдруг что-то грохнуло, и яхта ярким факелом взметнулась вверх, на мгновение стало светло как днем, я зажмурилась, а когда открыла глаза, вокруг царило настоящее безумие, выли сирены, с двух сторон к нам неслись моторки, впереди темной массой возник пограничный катер, а по воде поплыли клочки бумаги, один коснулся моего плеча, и я разглядела купюру достоинством в сто долларов.

Следующие сорок восемь часов я отвечала на вопросы с редкими перерывами на короткий сон. Я терпеливо раз за разом рассказывала, что приключилось со мной в этом южном городе, правдиво, спокойно, придерживаясь версии, изложенной мне Сашей, когда мы сидели в ресторане, правда, были у меня собственные догадки, но ими я не делилась.

Иногда сквозь стеклянную перегородку я видела деятельного Аркадия, он смотрел на меня с неодобрением и поспешно удалялся. Я знала, где-то здесь Саша, тоже отвечает на вопросы, ему наверняка еще тяжелее, чем мне. Я желала ему удачи, хоть и думала о нем с грустью. А еще сочиняла детектив. Жил-был мошенник, весьма удачливый. Кому-то его везенье было костью в горле, да и милиции он успел изрядно досадить. Почувствовав опасность, мистер Икс решил вывести на чистую воду всех своих врагов и, разумеется, от них избавиться. Вот и придумал сказочку о больших деньгах. Большие деньги сыграли с людьми злую шутку. Первым не выдержал парень с браслетом из команды Витьки. Решил прибрать их к рукам и вместо Регины послал другую девушку. Но в тот момент в игру уже вступил фокусник, деньги его тоже интересовали, но еще больше интересовал Икс. Возможно, они когда-то что-то не поделили (тут, при желании, много чего напридумываешь). Регина номер 2 погибает, и все идет наперекосяк.

Фокусник отправляется в кемпинг, уверенный, что у нас в руках нечто, способное привести его к сокровищам. Кирилл единственный из всех, знавший в лицо хозяина, интереса к моему сообщению о том, что жилец в доме под номером семь показался знакомым, не проявил. Зато оставил банкноту под плинтусом. Неведомый хозяин скорее всего должен был ее оттуда забрать, и забрал, только другую, потому что к тому моменту разорванный доллар уже лежал в моем кошельке. Фокусник тоже остался с носом. Очень скоро он находит парня с браслетом и принуждает его к сотрудничеству, у того безвыходное положение: не согласись он — и о его предательстве мигом узнает Витька. Далее все просто. Мистер Икс собирает всех врагов на яхте, и они гибнут в кровопролитном бою. Аркадий получает суперпреступника, а по морю плывут доллары, как подтверждение, что операция по передаче денег не чей-то вымысел, а самая настоящая правда. Вот что у меня получилось. Сами видите, повод порадоваться отсутствовал.

На третьи сутки, когда про меня вроде бы забыли и я уснула в очередном кабинете, положив голову на стол, кто-то коснулся моего плеча, и пожилой мужчина, последние восемь часов беседовавший со мной и тоже изрядно намучившийся, сказал:

— Вы свободны. — Признаться, я не поверила. — Вас сейчас проводят в аэропорт.

Я с трудом поднялась и вышла за ним в коридор, едва не столкнувшись с Аркадием. Мужчина дипломатично прошел вперед, а Аркадий нахмурился.

— Наверное, я должен извиниться, — сказал он покаянно.

— Да бросьте вы.

— Мне понятна ваша ирония.

— Какая, к черту, ирония, — покачала я головой. — Жива, и слава богу. Фокусник был там? Он был на борту?

— Ага, — кивнул Аркадий со вздохом.

— Неужели упустили?

— Нет.

— Тогда отчего не радуетесь?

— Я надеялся взять его живым, но...

— Выходит, он погиб в перестрелке?

— Такое иногда случается, даже с большими умниками.

— А денежки уплыли в сторону турецкой границы? — беззлобно усмехнулась я, Аркадий тоже усмехнулся:

— Кое-что выловили, так, сущую ерунду. Но деньги не главное.

— Еще бы. Главное, опасный преступник наконец обезврежен. Левка погиб?

— Я ничего не мог поделать, — посуровел Аркадий, а я не удержалась и спросила:

— Как там наш ветеринар?

— Нормально. Отпустили три часа назад. Уехал к себе... Приятный парень, он мне понравился.

— Мне тоже, — усмехнулась я.

Через час я уже была в самолете, а еще через два меня встречала сестра.

— Если я умру от разрыва сердца, виновата в

этом будешь ты, — сообщила она, но я не впечатлилась.

— У тебя паспорт с собой?

— Да, а что?

— Дай-ка его сюда.

— Зачем тебе мой паспорт? — рассвирепела она.

— Мой для такого дела, пожалуй, не годится.

— Для какого еще дела? Да ты меня с ума сведешь... Куда ты пошла, подожди, постой... Объясни, что происходит? — Она продолжала в том же духе, пока я заказывала билет и пока я ждала регистрации, а когда я отправилась на посадку, тяжко вздохнула: — Ты чокнутая... — Я поцеловала ее и заверила, что завтра вернусь и сутки напролет буду рассказывать о своих приключениях.

Нацепив черные очки и широкополую шляпу, я покинула здание аэропорта. Вокруг сновали люди, деятельные, веселые, серьезные, в общем, разные, город выглядел сонным от жары, и в нем ничто не напоминало о недавней трагедии. Слава богу, люди все легко забывают.

Я остановила такси и поехала на вокзал. Возле автоматических камер хранения не было ни души. Я подошла к ячейке, достала рюкзак и на всякий случай проверила содержимое. Доллары на месте. Я пожала плечами и пошла к выходу.

В узком коридоре, привалясь к стене, стоял Саша и радостно мне улыбался.

— Знакомые все лица, — приветствовал он меня.

— Я думала, ты растворился на просторах Родины, — ответила я.

— Я бы так и сделал, если бы не одно желание... настойчивое.

— Интересно, какое?

— Ну, это просто: хотел увидеть тебя.

— Меня? — спросила я с усмешкой, выразительно переводя взгляд на рюкзак.

— Тебя, — сказал он серьезно. — Можешь не верить, но эти деньги меня не очень-то занимают.

— Почему же... я верю. Это ведь мой утешительный приз. Что-то вроде поцелуя на ночь.

— Не пойму, о чем ты?

— Ты слишком умный парень для того, чтобы позволить мне тебя выследить. А ты мне даже шифр продемонстрировал.

Он засмеялся и взял меня за руку.

— Рад, что не ошибся в тебе, хотя ты очень старательно изображала сладкую дурочку.

— Это моя любимая роль. А твоя?

— Я простой парень и ни о каких ролях даже не знаю.

— Ты зачем приехал? — строго спросила я. — По-моему, тебе следовало бы удалиться от этих мест на значительное расстояние.

— Ну, если серьезно... — Он пожал плечами и широко улыбнулся. — Ты, случаем, не хочешь связать со мной свою судьбу?

— Это смотря с кем, — пожала я плечами. — С ветеринаром — с удовольствием. Люблю котов. Собак тоже люблю, но котов особенно.

— С ветеринаром, с ветеринаром, — закивал он, обнял меня за плечи и повел к выходу. — А ты молодец, — сказал он. — Здорово досталось на допросах? Признаться, я пережил несколько крайне неприятных часов. Когда догадалась? — спросил он, помедлив, а я пожала плечами.

— У меня было время все как следует обдумать. Раз уж ты заговорил об этом... Кто такой фокусник?

— Ну... — Саша засмеялся, но, заметив мой взгляд, вздохнул: — Один тип, который уже довольно давно мне пакостил. Я искал его, а он меня. Иногда сложно ужиться даже на такой планете, как наша.

— И ты затеял все это, чтобы он себя проявил?

— Причин было несколько.

— Разумеется. На яхте остались горы трупов, и среди них те, кто знал тебя, хотя таких, думаю, немного.

— Точно. И именно это обстоятельство позволяет мне спокойно вернуться к любимой профессии... Эй, — позвал он, потому что я смотрела куда-то в сторону и не желала взглянуть в его глаза. — Эй, — повторил он, и взгляды наши встретились. — Ты можешь сесть в самолет, и мы больше никогда не встретимся. Так бы поступили девятьсот девяносто девять женщин из тысячи, и правильно бы сделали. Но ты ведь промолчала на допросах, верно? И это позволяет мне надеяться... Сваляй дурака и останься со мной. Ты не пожалеешь.

Мы стояли посреди площади, пялясь друг на друга, кто-то натыкался на нас, задевал локтями, а я протянула руку к его щеке и заревела, он обнял меня и шепнул очень тихо:

— Только не вздумай сказать, что не можешь остаться.

— Еще как могу... — ответила я, и он засмеялся, а вслед за ним засмеялась и я.

— Знаешь, чего мне больше всего на свете хочется? — спросил он, а я кивнула:

— Конечно, знаю.

— Еще бы ты не знала, — фыркнул он. — Вот эта гостиница подойдет?

И мы пошли праздновать победу.

Литературно-художественное издание

Полякова Татьяна Викторовна

ФУРШЕТ ДЛЯ ОДИНОКОЙ ДАМЫ

Ответственный редактор *О. Рубис*
Редактор *Т. Другова*
Художественный редактор *Н. Кудря*
Художник *И. Варавин*
Технический редактор *Н. Носова*
Компьютерная верстка *Г. Павлова*
Корректоры *Е. Самолетова, Е. Чеплакова*

ООО «Издательство «Эксмо».
107078, Москва, Орликов пер., д. 6.
Интернет/Home page — www.eksmo.ru
Электронная почта (E-mail) — info@ eksmo.ru

Подписано в печать с оригинал-макета 21.10.2002.
Формат 84×108 $^1/_{32}$. Печать офсетная.
Бум. газ. Усл. печ. л. 16,8. Уч.-изд. л. 12,0.
Тираж 100 000 экз. Заказ № 0213090.

Отпечатано на MBS в полном соответствии
с качеством предоставленного оригинал-макета
в ОАО «Ярославский полиграфкомбинат»
150049, Ярославль, ул. Свободы, 97.

ПРЕДСТАВЛЯЕТ

СЕРИЮ «Детектив глазами женщины»

Героини этих книг – женщины, они – в самом центре опасных криминальных интриг. Киллеры, телохранители, частные детективы и... страстные любовницы, они с честью выходят из всех передряг, которые готовит им злодей-случай. Эти представительницы слабого пола умеют смотреть смерти в лицо и способны посрамить даже самых матерых преступников. Ибо их оружие – ум, непредсказуемость и... женская слабость.

НОВИНКИ ЛЕТА – 2002:

Н. Александрова “Царский талант”

Е. Арсеньева “Мышьяк за ваше здоровье”

Т. Рябинина “Одним ангелом меньше”

Все книги объемом 400-500 стр., твердый, целлофанированный переплет, шитый блок.

Книги можно заказать по почте:
101000, Москва, а/я 333. Книжный клуб «ЭКСМО»
Наш адрес в Интернете: http://www.bookclub.ru